情報の悪意

科学ファクトを潰す者たち

武田邦彦
Kunihiko Takeda

徳間書店

はじめに

権力者に騙されないために

後手後手の新型コロナウイルス対策を批判された挙句、菅義偉総理が辞任し、自民党総裁選を制した岸田文雄氏が新たに総理大臣の座に就くことになりました。10月31日に行われた衆議院議員選挙では自民党が単独で過半数を確保したものの、岸田政権自体、長期政権になりうる安定感からは程遠い印象です。

このところの政治の世界を見ていると、男女を問わず、なんだか「子どもっぽさが抜けない顔の政治家」が増えたような気がしてなりません。男性は「とっつぁん坊や」、女性は「世間知らずの娘」みたいで、髪型や顔つきなどの外観はもとより、話すときの表情などを見ても、「この人、熟考したうえで話しているのか?」と疑問に思う人ばかりです。

先々代の安倍晋三元総理にしても、長期政権にはなったものの、子ども騙(だま)しのような愚策は多々ありました。新型コロナのパンデミックの中で、全国民に口元しか覆うことのできないガーゼマスク、いわゆる「アベノマスク」を配布したことなど、今思い出しても開いた口がふさがりません。

不織布のマスクが不足していた時期にもかかわらず、実際にアベノマスクを着けて外出していた人を見たことはほぼありませんし、そもそも抗ウイルス効果を考えても、あのガーゼマスクになんの効果を求めたのでしょうか。

これはまた、自民党の大きな献金先の一つである日本医師会あたりから要請があったのではないかと、私などはついつい穿(うが)った見方をしてしまいますが、科学的に見ても明らかに防御効果が薄いものに多額の税金をかけて発注している背後に、「既得権益者」の存在が見えてくるのは、はたして私だけでしょうか。

安倍元総理は、近年の総理大臣の中では比較的まともな人物でしたし、外交の舞台でアメリカのドナルド・トランプ前大統領やロシアのウラジーミル・プーチン大統領の前に出ても、対等に渡り合えるだけの威厳と風格みたいなものがあったので、実にもったいない政権晩年であったと思わずにはいられません。

そして、その後継となった菅政権。対コロナ問題は菅総理の段階でさらに膨らみました。例えば、風邪を引いた、ひょっとしたら新型コロナ感染の疑いがあるかもしれないという

権力者に騙されないために

患者さんが、医者のところに行っても適切な治療を受けられなくなってしまった。重症者以外の多くは「家でじっとしていてください」と自宅療養を指示されるばかりで、とても国民を救える状況ではなかったのです。

コロナ禍以前の日本では、体調の悪い人が病院にやってきたら、まずはかかりつけ医（開業医）が献身的な診察と治療を施してくれましたが、今では厄介者が訪れたかのような扱いをする医師も一部で存在しているようです。コロナ患者を診察したことがあらぬ風評となってしまうことを危惧してのことだとしても、この社会も医療者も非常に悪い方向に進んでしまっているように思えます。

緊急事態宣言を発出しなくてはならない「有事」のときにこそ、「大人」としての議論を深めなくてはなりません。子ども騙しのような策ではなく、今求められていることに対して、何をすることが理に適う（かな）のか、科学的にも正しい策となるのか。体調不良の国民に診療拒否をするような病院に対してどんな措置をとるべきかなど、極めて喫緊の課題です。迅速な対応が求められる今、必要なのはやはり政治家一人ひとりの大人としての力量なのです。

しかし、現実は違います。この国の国会はまったく機能していないのではないかと思うくらい、政治家の動きが見られません。自民党は利権のためだけに動き、野党は与党批判に終始して、有権者に向けた点数稼ぎばかりしようとしている。なんのために国会議員は存在しているのでしょうか。多くの国民は理解できませんし、政治家に対する憤懣(ふんまん)や怒りはますます膨らむばかりです。

科学的根拠に乏しい環境省発表

私が全く評価しない政治家は、国政の世界だけではありません。例えば、2016年7月の選挙で女性初の東京都知事となった小池百合子知事。科学者として彼女の主張に最も違和感を感じ始めたのは、環境相時代(小泉純一郎第2次改造内閣にて小池氏は初入閣)に旗振り役となって推し進めた「クールビズ」でした。実はこれが、決して褒(ほ)められたものではなかったのです。

ご存じのようにクールビズとは、「夏の職場ではネクタイや上着の着用をやめて、エアコンを28℃に設定」すれば、電力消費が抑えられて企業が負担する電気代の軽減になり、電力をつくる際に発生する二酸化炭素(CO_2)も削減されるから地球温暖化防止につながるというものでした。

クールビズの成果について、小池さんは次のように発表しました。

「クールビズの効果によって、二酸化炭素46万トンを削減することに成功しました」

この数字は「100万世帯の1カ月分のCO_2の排出量にあたる」と誇らしげに語り、クールビズは大成功を収めたというわけです。

いやいや、ちょっと待ってください。この「46万トン」という数字はどこから出てきたのでしょう？　私は驚きを隠せませんでした。これではクールビズ自体の効果の科学的データがわからない。温暖化に直接、どの程度の貢献をしたのか、肝心な点についてはまったく触れられていません。

気になった私は、当時の環境省のホームページを読みました。そこには次のように書かれていました。

〈環境省は『COOL BIZ』の実施状況についてアンケート調査を行いました。その結果、『COOL BIZ』の認知度は95・8％、『勤務先が例年より冷房温度を高く設定している』と回答した就業者の割合が32・7％でした。この割合をもとに二酸化炭素削減量を推計すると、約46万トン－CO_2（約１００万世帯の１カ月分のCO_2排出量に相当）となります。

来年も引き続き、「冷房温度28℃」「ＣＯＯＬ　ＢＩＺ」の普及に努めてまいります〉

（２００５年10月28日　環境省報道発表資料）

早い話が、46万トンの根拠は、アンケートによる認知度や割合という非常に感覚的なものでした。小池さんは「してやったり！」の表情を浮かべていましたが、46万トンは、科学的な根拠に乏しい数字だったといえるでしょう。

その２年後の２００７年、CO_2の排出量は13億トンでした。46万トンがそこから削減されたとしても、CO_2の削減率はわずか０・０３％にしかなりません。たとえるなら、「月30万円の給料から90円節約した」ようなものです。

これでクールビズが成功したと胸を張るとは……さすがに私には理解できないのです。「やらないよりはマシだ」と考える人もいるかもしれません。

では、こう考えてみてはいかがでしょう。

クールビズをビジネスチャンスと考えた服飾メーカーが、暑さ対策としての開襟シャツを販売したことによる経済波及効果は「180億円」と経済産業省が発表しました。ここで考えなくてはならないのは、「クールビズ対策シャツ」を新たに製作するために、どのくらいのCO²が排出されたのかということです。当然ですが、そのデータは明かされていません。

また、エアコンの温度を高く設定して浮いた電気代を、企業が何に使ったのか。その行方はどこまで明らかにされているのでしょう？　経済波及効果とは、そこまでデータの把握がされて初めて効果があったといえるのだと私は思います。

この大々的なクールビズキャンペーンには総額80億円超のお金が動いたとも言われていますが、その原資はいったい誰がどう捻出して、誰の懐に入ったのでしょうか？　そのことに関しても、私は寡聞にして存じ上げません。

一口に46万トン削減を実現したといっても、それでキャンペーンが成功したと断言することはできません。発表された数字自体も、発表した側（この場合は環境省ということになります）にとって都合のよい部分だけが切り取られて報道されている可能性があることも考えてみるべきなのです。

環境問題に関しては、「もっとも効果があったように感じられる数字」が一人歩きしがちです。国家だけでなく、NHKや朝日新聞などの大手メディアも、こうしたスタンスで数字を捉えることを得意としていると考えてよいでしょう。

第二の小池都知事を生み出さないために

小池氏の微妙な手法は、都知事就任直後の豊洲市場の問題でも露呈されました。「豊洲は土壌汚染対策法や建築基準法など法令上の面からの『安全性』は確保されていても、『安心』とはいえない」という迷言と共に、さんざん関係者を振り回しながら、結局は豊洲市場の使用を認めました。

ここでいう「安心」とは感情的なことを指しているのですが、都道府県の首長ともあろう人物が、一個人の感情で物事を判断する姿勢はいただけません。

小池都知事の判断に振り回されることは、その後も続きました。とくに、現在のコロナ禍における東京都の迷走ぶりを見るにつけ、「この人に東京を引っ張っていく力はないのでは……」と訝る都民も多いことでしょう。

しかし、この人を知事に選出したのは、政治家ではなく国民、都民なのです。人気投票

はじめに

権力者に騙されないために

的に1票を投じてしまった、そんな人々の集合によって、彼女に東京都の舵を任せることになった。選挙中の彼女のパフォーマンスに騙されたという人もいるかもしれませんが、それを見抜けなかったのも、同じく都民なのです。

この政治家は果たして真実を語っているのか。何者かによる作為のもとにわれわれを操ろうとしているのではないか。もはや都政も県政も国政も同様、われわれの生活をよりよい方向に進めていくためには、政治家に頼り切ったままでは、彼らの都合のいいようにされてしまうのがオチです。

御用機関に成り下がってしまったメディアも、どこに忖度するのか偏向報道ばかりを流し、権力を監視するかつてのような姿勢は期待できません。もはや国民一人ひとりが声を上げて、権力者の作為的な発信に否を言わなければならないのです。

幸いにもわれわれにはインターネットやＳＮＳという発信ツールがあります。昔に比べて国民の「生の声」を広く伝えることができるようになりました。もちろん、そこで交わされる意見には罵詈雑言のたぐいもありますが、その多くは日本の将来を本気で憂う、極めて建設的な指摘だと私は確信いたします。

日本は今、東アジアの脅威にさらされています。北朝鮮のミサイル発射はもとより、アメリカを抜いて世界一の経済大国となった中国や、政権維持のために反日を唱え続ける韓国など、近隣各国を見渡せば、この極東アジア周辺はまさに地雷原です。

そうした脅威のただなかにいるこの国の次世代のためにも、科学の政治利用、歪(いびつ)なデータ解釈がまかりとおっている現実を、私は厳しく指摘しておきたい。

世の中に流布される情報・課題は、果たして科学的ファクトに基づくものなのか否か。メディアや政治家起点で一般常識のごとく語られてきたことが、いかに作為的なものであったのか、本書を読まれれば、最新の真実と共にご理解いただけることと思います。

２０２１年11月　自宅の書斎にて

武田邦彦

第1章　政治とメディアが引き起こしたパニック

第2章 私しか言うことのできないコロナ禍の真実

第3章　プラゴミをめぐって情報はここまで操作されていた　75

第4章 ダイオキシン、ペットボトル、環境問題の暗部

第5章
世界をミスリードしたこの「名著」たち　129

第6章　未来の世代に作為を刷り込む教育の現場　153

第7章　子どもたちに教えたい環境問題　167

第8章

大気汚染、公害はこうして利用される 199

おわりに　支配者は「幻」をつくって支配をする 216

構成｜小山宣宏
装丁｜木村友彦
カバー写真｜前田こずえ（DHCテレビジョン）

第1章

政治とメディアが引き起こしたパニック

政府と御用学者に操られた報道

政治とメディアは自らに都合のいいように情報の力を利用してきました。直近の出来事で、私の目に最も悪質に映ったのは、言わずもがな、２０２０年の1月下旬から注目を浴びた「新型コロナウイルス」（以下、新型コロナ）関連の報道です。

現在も収束に向けて世界中でさまざまな取り組みがなされていますが、日本で感染者が出始めた当初と比較すると、感染者数はますます増えていき、この本の執筆途中の21年9月頃までには、とうとう第5波まで発生してしまいました。

まずはそこまでの過程における新型コロナ報道がいかに作為的に行われたものであるのかを検証し、メディアの問題点を摘出していきたいと思います。

テレビ、新聞をはじめとする大手メディアは、基本的に「政府の発表通り」あるいは、「御用学者の言うがまま」に報道します。２０２０年4月の第1波時点では、一日の全国のＰＣＲ検査の陽性者数は５００～６００人程度。3月に緊急事態宣言が発出されたものの、想定していたよりも感染者が少なかったことで多くの人は「日本での新型コロナは、果たして流行病のレベルなのか？」と思っていたことでしょう。つまり、多くの国民が新型コロナを警戒はしていましたが、それほどの恐怖心はなかったのです。

世間の空気を察知したテレビは、番組の方針を変えてきました。それまでは日本国内の感染状況を中心に放送していたのが一転、感染率の高い外国の現状に目を向け始めたのです。

当時の日本の感染者の約30～50倍を記録していた中東のイラン、あるいは2月時点で死者が1万人以上に達していたイタリアを中心とする、フランス、ドイツなどのヨーロッパ諸国、さらには医療崩壊が叫ばれていたアメリカの状況を報道するケースが増えていきました。

中でも当時のイタリアは、爆発的に増加していく感染者と死者のため、世界に先駆けてロックダウン（都市封鎖）に踏み切りました。普段は人が密集する都市の中心部が閑散としている映像は、極めて衝撃的でした。それが病院の映像に切り替わると、ベッドに横たわって苦しんでいる大勢の患者の姿を見せ続ける。視聴者に新型コロナの凄まじさを伝えるにはうってつけの映像を映し出すことができたのです。

日本ではありえない事態を徹底して煽る

視聴者は恐怖や不安、危機感にさらされることで、ニュース映像にクギ付けになります。テレビ局からすれば、「多くの視聴者を不安にさせ、高い視聴率を獲得する」ための絶好のチャンスがやってきたともいえるわけです。

ご存じの通り、テレビ局は番組に対する広告料としてスポンサー企業から莫大なカネを得ているので、スポンサー側の考えを最優先して、視聴率至上主義で番組制作を考えるのが通例です。むしろそれこそがテレビの果たすべき役割だと、現代のテレビマンたちは考えているはずですし、そのためには手段を選ばず過激な映像を見せることだってあります。

愚問だと一笑に付されることはわかっていつつ、私はあるテレビ局のディレクターにこんな質問をしました。

「なぜ視聴者の不安を煽るようなニュースばかり取り扱うのですか?」

そのディレクターは、平然とこう答えました。

「なぜって、そのほうが視聴率が稼げるからですよ」

こんな愚行が平然とまかり通っているにもかかわらず、「報道とは国民に真実を伝える媒体」と言い切るとはなんとおこがましいことでしょう。開いた口がふさがらないとは、まさにこのことです。

さかのぼれば、「ダイオキシンは毒物だ」「石油が枯渇する」などの報道も結局のところ扇動であったことがわかり、ウソが発覚しました。

新型コロナに関しても、日本国内がそれほど衝撃的な状況になっていないのであれば、「日本は世界と比較してもまだ安全です」と伝えるだけでいいのに、日本ではありえない事態の映像を、あたかも「日本もいずれはこうなるかもしれませんよ」と扇動するかのように流す。視聴者の興味や関心を引くために手段を選ばないやり方は、テレビの常套手段であり、恐怖心を植えつけるためのトリックなのです。

パンデミックの収束をメディアは喜んでいない

さらに2020年の8月頃になると、第2波が襲来しました。この時点の全国の陽性者は多くても1500人をわずかに超えるほどでした。諸外国と比べても明らかに少なかったのですが、連日のように東京都知事の小池百合子氏は新規感染者の発表時間（このときは午後3時、21年5月24日から午後4時45分に変更）前後になると決まって記者会見を開いていました。その場に居合わせたテレビや新聞、ラジオなどのメディアは、

「今日の感染者についてはいかがですか？」

定型文のような質問を、毎日都知事に浴びせることに終始していました。感染者が１人増えた、減ったというやりとりを、一喜一憂しながらワイドショー番組は飽きることなく報じ続けていたのです。

これは私の個人的な印象であり、穿った見方かもしれませんが、感染者が減った日や増加の幅が少なかった日の番組の司会者とコメンテーターは、どこかがっかりしているかのように映りました。まるで感染者の多いほうが心配そうな顔をして語りやすいとでも考えているように思え、前述の視聴率至上主義と重なって見えたものです。「新型コロナ以外にももっと他に報道するニュースがあるんじゃないのか」とテレビに向かって文句ばかり言っていました。

たしかにこの頃は、志村けんさんや岡江久美子さんといった知名度の高い芸能人が新型コロナによって亡くなるという悲しい出来事がありました。けれども国会では新型コロナ以外のことも議論されていましたし、世界に目を向ければアメリカで起きた黒人差別の抗

議が世界中に拡大するなど、注目すべきニュースはあったのです。

けれども情報番組で扱うニュースは新型コロナ関連のニュースばかりで、東京都の感染者が今日は前日と比較してどれだけ増減したのかばかりに注目する。挙句、したり顔をしたコメンテーターが、「政府のコロナ対策は甘い」などと常に批判の姿勢を繰り返す。これではどんな視聴者だって、飽き飽きしてしまうでしょう。

甲子園大会「なぜ去年はダメで今年は開催できたか」

また8月といえば、高校野球の甲子園大会が通常ならば開催されます。2020年の甲子園大会は春夏ともに中止となりましたが、その背景にもメディアによる扇動があったと私は考えています。

当時の日本国内における新型コロナの感染者数は1日で1500人を超えるほど。ところが2021年は2万5000人前後まで感染者が増えていたにもかかわらず、春、夏ともに甲子園大会の開催に踏み切りました。1年前の時点は新型コロナがまだ得体が知れず、慎重にならざるを得なかったので開催を見送ったという見方もあるかもしれませんが、それ以前の元凶として、20年当時の報道が「新型コロナ感染はかなり危険だ」というレッテルを貼ってしまって、社会の空気をミスリードしたことがあるのは間違いありません。

日本の感染者数がまだ少なかったにもかかわらず、感染者の多い中東やヨーロッパの国々の映像を繰り返し見せ続けた愚行が、この国での感染の実態把握を遅らせ、ただただ恐れることばかりの流れをつくってしまったのです。

「中東やヨーロッパ、アメリカなどは今、新型コロナ感染者の急増で深刻な状況になっていますが、日本はまだまだ大丈夫です」

というメッセージを視聴者に対して送る報道こそ、当時のメディアに求められることでした。甲子園大会を逃すことになってしまった高校球児、そして多くのスポーツの大会が見送られる事態となり、小学生から中高、大学生にいたるまで、すべての学生が涙を呑む事態となりました。

その後の新型コロナとの対峙に関しても、メディアは重罪を犯したと言えます。彼らの中には「新型コロナという危険なウイルスが蔓延するのを食い止めることができた」と胸を張って言っている人もいましたが、多くの学生たちが苦渋の涙を流していたという現実を、メディアの人たちはどう考えているのか、私は改めて問いたい気持ちです。

テレビの現場で感染者が増えている裏の理由

メディアは対外的には恐怖を扇動するものの、その内側、つまりテレビ局側の人間には、自分たちが主張していたほどの危機意識が欠落していました。

新型コロナ蔓延のさなか、私は普通にテレビに出演していました。局入りすれば当然スタッフから、

「マスクは必須です」

「共演者同士で密になるような行動は避けてください」

と一通りの注意はされますし、場合によっては、

「リモートでの出演となりますが、ご了承ください」

などと、スタジオに来る形ではない、他の出演方法の提案もいただきました。

ただ、テレビ局には有象無象（うぞうむぞう）の出演者がやってきます。タレントをはじめ、大勢の人の前に出る、多くの人と接触する可能性の高い職業の人たちが集うわけですから、テレワークを推進して感染予防に努めていた一般企業などに比べて感染リスクは高くなります。本来であれば、不特定多数の人が出入りするテレビ局だからこそ、入り口だけでなく、局内

のありとあらゆるところまで、入念な消毒が必要となるはずです。

しかし、これが思いのほかずさんでした。私が出演した某テレビ局では、とくに入退出の際に必ず触れる部分であるドアノブ（とくに控室やトイレ）が、消毒もせずにそのままになっていたのです。誰もが触れる部分を消毒することで接触感染が減らせるなどと情報番組でさんざんアナウンスしておきながら、まさに灯台もと暗しでした。

さらに、テレビの制作スタッフらが番組終了後の打ち上げでお酒を飲みに出かけた結果、新型コロナに感染したことが、20年、21年と立て続けに発覚していますが、根っこにあるのはそうした消毒の手薄さなどをはじめとする、基礎的な危機感のなさがあったのではないかと思われます。

感染拡大の恐怖を煽る以前に、私はまず「感染ルート」について考えるべきだという警鐘をメディアに求めたかった。接触感染を回避することの重大さをもっと伝えるべきでしたし、テレビ局内のルールをもっと厳しくするべきでした。けれどもそうはいかなかった。

テレビ局内で感染が広がった背景には、視聴率を上げることに躍起（やっき）になって、「自分たちは大丈夫」と何の根拠もない過信があったことが原因ともいえます。これは政府の措置にも通じることですが、もしもテレビ局が感染ルートを正しく突き止めることをしていて、結果、自分たちにも非があったと素直に認めていたのならば、感染拡大の流れはさらに食い止めることができたはずです。

報道を否定する者に向けられる目

「視聴率を獲得すること」を最優先したことで、テレビは本来、報じるべき情報に蓋（ふた）をしてしまった。そのせいで、間違った情報があたかも真実であるかのように視聴者に刷り込まれていったのです。

新型コロナの感染拡大以後、私は入手した関連情報を自分なりの見解を加えて動画で発信し続けてきたのですが、視聴者からたびたび「あなたは科学者なのに、なぜみんなが言っていることに対して否定的な意見をするのか？」といった内容のメールをいただくようになりました。

私は新型コロナが大騒動になる以前から、

「新型コロナは一種の風邪のようなものだ」

と言い続けていましたから、そのことに対する反論というわけです。

私は科学者ですから、当然、上がってきたデータを重視します。しかし、データを鵜呑（うの）みにするのではなく、それがファクトに基づくものであるのか否かを判断します。科学は新しい世界を切り開いていく分野ですから、これまでのデータとの差異や間違い、錯覚のようなことが起こるのも日常茶飯事。判断がその都度変わることになったとしても決して不自然なことではないのです。

　科学の世界にも「データがすべての答えである」と思い込み、上がってきた内容についてまったく疑いの目を向けない科学者も一部にいますが、科学者失格だと私は思います。これでは「みんなが言っているのになぜ否定するのか」と私に指摘してきた視聴者のメールと同じです。つまり、「メディアが事実を報じているのに、なぜ否定する見方をするのか」と受け止め、テレビ報道を１００％信じてしまい、それ以上のことを疑問に考えない、思考が停止した視聴者とまったく変わらないのです。

　前述の通り、テレビを中心としたメディアには往々にして扇動的な情報を求める傾向があります。目の前の情報は必ずしも真実ではなく、誰かによって、また何者かが得をするために作為的に操作されたものである可能性が極めて高いのです。

原発事故当時に急遽行われた「ルール変更」

何者かの作為を疑わざるを得ないとなれば、データ自体の精度も疑ってかからなければなりません。後述する環境問題に関するウソ、ダイオキシンやリサイクル、CO_2排出の問題などで一部の誰かが得をするように情報操作されたデータは、これまでにも存在しました。しかも、そのようなデータを国家機関である省庁が公式発表することもあったのです。

冒頭で私は、メディアは基本的に政府の言う通りのことを報道すると記しました。国家が情報を操作し、それをそのままメディアが何の疑いもなく垂れ流す。つまりメディアは政府のプロパガンダの役割を果たしている場合もあるのです。

過去にもデータに対する固定観念が引き起こした悲劇がありました。2011年に起こった東日本大震災の津波被害に端を発する、東京電力福島第一原子力発電所の事故です。このとき、最も配慮しなければならなかったのは、復旧にあたる作業員の「被曝限度」でした。1年あたり1ミリシーベルトが基準とされており、これを遵守するのは当然だったのですが、事故後、このルールはあっけなく崩壊していきました（東電福島第一原発の緊

震災発生後からの全作業員の累積被曝線量

区分(mSv)	2011年3月～2015年11月		
	東電社員	協力会社	計
250超	6	0	6
200超～250	1	2	3
150超～200	26	2	28
100超～150	117	20	137
75超～100	311	259	570
50超～75	330	1,690	2,020
20超～50	631	6,301	6,932
10超～20	620	5,628	6,248
5超～10	495	5,327	5,822
1超～5	871	9,518	10,389
1以下	1,255	12,481	13,736
計	4,663	41,228	45,891
最大(mSv)	678.80	238.42	678.80
平均(mSv)	22.45	11.52	12.63

出典：厚生労働省HP

急作業中の被曝限度は特例省令によって250ミリシーベルトに上げられた)。

原因は、政府側による「1年1ミリシーベルトの規制はない」という発表にありました。「被曝限度を守っていると、すべての作業員がすぐにその数値に達してしまう。そうなると現場に携わる人員が激減してしまい、復旧業務が続かなくなってしまう」というのが理由でした。

当時の私は原子力の仕事に従事し、原子力安全基準・指針専門部会の一委員を務めていました。作業員の命を軽視したこの発表を聞いて、たいへん悲しい気持ちに襲われたことを今でもよく覚えています。

私も原発の内部には何度も足を運んだこ

とがあるのでよくわかるのですが、現場の作業員はフィルムバッジや線量計を身につけて、絶えず自分の体の被曝量の管理を行っています。しかも現場での仕事は危険と隣り合わせで、作業員自身に加えて周辺に住んでいるかたがたの安全も守られねばなりません。それがいくら復旧作業が滞るからと言って、被曝の規制をすべて撤廃してしまうというのは非人道的な行為であり、周囲の住民をも危険にさらすことでした。

福島で起こった新聞記者の「職務放棄」

さらに、原発事故の現場では驚くべきことが起こりました。事故直後、帯同していた日本経済新聞、読売新聞、朝日新聞、毎日新聞の各新聞社所属の記者たちが、一斉に現場から撤退することになったのです。理由は単純、「危機が近くまで及んでいるから」。しかも彼らは、それを公表せず、外部に漏洩しないようにひた隠しにしていました。

それだけではありません。大手紙の記者たちは、原発周辺の住人のかたがたに対して、「被曝は大したことがない」と安心させるための情報を流布したのです。その一方で、記者たちが原発の周辺に取材に行くとなれば防護服で完全防備をしていました。近隣に暮らす福島の人たちはそんなものを一切身につけていませんし、「なるべくなら防護服を着たほうがいい」という情報さえ流れてこなかったのです。

福島側の事情を知らない防護服を着たある記者が「なぜ防護服を着ていないのですか？」と福島のかたがたに聞いたところ、

「新聞に『原発は安全だ』と書いてあるからだ」

と答えたそうです。それを聞いて、「自分たちはなんて情報を流してしまったんだ……」と顔から火が出るほど恥ずかしい思いをしたと、のちにその記者から聞きました。

こうした出来事について、メディア側からの内部告発などは一切ありませんでしたし、少しでも公（おおやけ）になることはありませんでした。これほどの事故が起きたときにメディアに携わる者がすべきことはなんだったのでしょうか。

本来であれば、「福島の人たちに正確な情報を伝えること」だったはずですが、大手紙の記者は誰もそれをしなかった。もしこうした真実を福島の人たちに伝えようものなら、会社内での自分の居場所がなくなってしまうかもしれない。わが身かわいさに職務の責任を果たさなかった、こうした怠慢な姿勢を、私は今でも忘れることができません。

地域医療を崩壊させるコロナ患者診察の風評

原発事故と同様の問題は、現在のコロナ禍でも起きています。一般の開業医、いわゆる「かかりつけ医」が「発熱している患者を診察しない」という行為に出たのです。

かかりつけ医については、日本医師会およびそこに属している開業医たちによって、2013年にこう定義付けされました。簡略に言えば、次の3つです。

①なんでも相談できる。
②最新の医療情報を熟知し、必要なときには専門医や専門医療機関を紹介できる。
③身近で頼りになる地域医療、保健、福祉を担う総合的な能力を有する医師となる。

残念なことに、この定義は守られなかったのです。

通常、大規模な病院にかかる場合、まず近くの開業医に相談し、そこで紹介状を書いてもらってから行くことになります。初診でいきなり大病院に行けば、初診料は5000円以上かかりますが、紹介状があれば紹介状の作成費用（診察情報提供料）として2500

円を払いさえすれば、その後は大病院の医師の診察を受けることができます。

それが新型コロナが蔓延していく中、大病院は重症者のための病床確保を理由に初診を受け付けず、さらに一部の開業医は発熱した患者の診察を拒否するケースが頻出しました。新型コロナ感染者を診るための十分な対策ができないなどのもっともらしい理由がある一方で、感染者を診察したことの風評被害でほかの病気やケガ持ちの患者が寄り付かなくなってしまうという保身的な理由も目立っていたようです。

頼みの綱であるべき地域のかかりつけ医が、このていたらくなのですから、重症患者の増加による医療崩壊以前に、地域医療の崩壊が表出していたと言えるでしょう。

開業医が初診の患者を拒否することなど、絶対にあってはならないことです。ただ、日本医師会というのは、患者の健康を守ることに加えて、「開業医の利益を守る」という存在理由もあります。開業医による診察拒否問題がクローズアップされなかった背景には、そうしたバックの存在も大きく影響していたのかもしれません。

現場から逃げた「職務に尊厳なき者たち」

診察拒否に連なることとして、看護師の質の問題も耳にしました。以前、ある病院の医師と対談をしたときのことです。ある看護師がその医師に対してこんなことを言ったそうです。

「新型コロナが疑われるような患者さんは受け入れないでください」

私は思わず、その医師にこう言いました。

「看護師という職業に就いておきながら特定の病気の診察に立ち会うのが嫌だというのでしたら、患者さんを診る以前に、そのかたが看護師を辞められたほうがいいんじゃないですか」

診察拒否は、例えば大火事を前にした消防士が「火力が強くて危険だから、この現場の消火作業は担当したくない」と言うのと同じです。あるいは警察官が拳銃を持った凶悪犯を前にして逃げてしまうのも然(しか)りで、職場放棄同然の行為なのです。

今から100年以上前、1918年から19年にかけてスペインに始まったインフルエンザのパンデミック「スペイン風邪」は世界中で流行し、約4000万人が命を落としました。この数字の中には現場で看護にあたっていた看護師も含まれています。こうした仕事に従事している人は、常に危険と隣り合わせです。厳しい言い方になりますが、スペイン風邪と対峙したかたがたのように自分の職務の尊さを理解し、肚(はら)を括(くく)って仕事に向き合う覚悟が必要なのです。

なぜNHKは原油価格吊り上げに加担することになったのか

再びメディアと国家の問題について、考えてみたいと思います。

かつて安倍晋三総理の時代にNHKの会長を務めていた籾井勝人氏が、任期中にこのような発言をして世間の顰蹙(ひんしゅく)を買いました。

「政府が右と言っているのに、NHKが左と言うわけにはいかない」

この言葉こそNHKの体質そのものです。要するに「政府の言ったことは、私たちも同様のことを伝えますから、みなさんも何一つ疑うことなくその情報を鵜呑みにしてください」と国民に訴えかけているも同然なのです。

そもそもNHKをつくったこと自体が間違いだったと私は考えています。なぜならNH

Ｋはつくられた現実の「ある断面」を信じさせようと、ウソの報道を垂れ流したからです。具体的には、今から50年近く前に報道し続けた「石油はあと40年くらいで枯渇する」ということです。

ＮＨＫは石油の枯渇を執拗に発信し続けていました。詳細は後述しますが、そんな事実はどこにも存在しませんでした。ある種の捏造情報を、われわれ国民の受信料によって成り立っているＮＨＫがしきりに主張していたのです。

この報道の裏には、アメリカを中心とした欧米諸国による原油価格を吊り上げて世界市場で大儲けをしようという魂胆がありました。ＮＨＫも当然それを知っていたわけですが、そこには一切触れることなく、ひたすら石油がなくなることの危機感を煽り続けたのです。

しかし、50年経った今でも石油は確実に存在しています。それどころか、石油資源はなくなるどころか増えていて、２０１５年時点で「あと50年はある」と言われていますし、この先も枯渇することなどあり得ないと私は考えます。

NHKは国民を苦しめるために存在するのか

また、消費税が10%に引き上げられた際には「国民一人あたりが背負う日本の借金は833万円になる」とうそぶいていました。そもそも国民が国の借金を背負わされるということが的外れです。国債の形でわれわれに対して政府が借金をしているのですから、われわれ国民は債権者であり、日本政府が債務者なのです。信じられない話を公然とNHKは報じ続けてきたわけで、これを聞いた私は「国民を苦しめるために存在するのがNHKだ」と確信したものです。

昔のNHKはそうではありませんでした。公共放送という名のもとに、国民に対して有益かつ必要な情報を流す。誠実な放送をしていた時代もたしかにありました。それが今や、ウソの情報をたれ流す、政府の側ばかりを見る御用機関となり果ててしまったのです。

さらに言えば、北朝鮮によるミサイル発射に関する報道です。直近では2021年9月15日の午後0時37分にミサイルの発射が確認されました。打ち上げから、例えば10分後にNHKが第一報を放送したとしましょう。これは正しいことです。

しかし、問題は、それ以上の情報を流さなかったことにあります。

公共放送である以上、本来であれば、打ち上げられたミサイルがどこに落下しそうなのか、あるいはどこに落下したのかを国民に伝えなければなりません。なぜならミサイルが打ちあがっている間は、国民もどこをどう飛んでいるのか、警戒しなければならないからです。その情報を国民に周知させ、限りある時間の中で安全なところに避難させるための情報を伝える。それもＮＨＫにとって極めて大事な役割だったのではないでしょうか。

日本の危機を報じられない報道機関と政府

かつて国会で、「ＮＨＫはなぜ存在するのか」という質疑が上がったことがありました。このときの答えがまさに的を射たものでした。

「政府のほうから公共的な危険があった際に、国民に知らせるためにＮＨＫは必要なのだ」

こうした言質（げんち）を取られていながらも、全国民に当てはまる危機をＮＨＫは放送しなかった。その理由はつまり、ミサイルの飛行情報は内閣官房の危機管理室や防衛省の軍事機密にかかわることなので、関係するすべての組織の了解を得なければ情報を流すことができない、ということでした。

軍事機密を守るのは確かに大事です。しかし政府が「国民の命を守る」ことは、さらに重要度が高いことではないかと私は考えます。

太平洋戦争のときには、アメリカ軍のB29がサイパン島を出発した際、日本軍の最高司令部は国土のどこに向かっているのかを事前に察知していました。その情報は爆撃が予想される地域に届き、事前に空襲警報を鳴らすことができたからこそ、その地域に暮らす人々は防空壕に入って自らの命を守ることができたのです。

それが今はできません。2017年に発生した北朝鮮によるミサイル発射では、北海道上空を通過して太平洋側に着弾しましたが、日本の領空を飛んでいるにもかかわらず、その間の飛行ルートについての警報や情報が流れることは一切ありませんでした。これでは国民の命を守ることはできません。

前に触れた籾井元会長の発言を思い出してください。政府が「右向け右」と言えば、それに従う。また、「左のほうが正しい」ことがわかっていたとしても、決して「左」と言ってはいけない。なぜなら政府が「左」と言っていないから――。

ＮＨＫは平気でウソを報じることができる機関になってしまったと言っても過言ではあ

りません。この発言を聞いて、私は、真実の情報をＮＨＫから得ようなどとは到底思えなくなりましたし、ＮＨＫで制作されている番組にも疑いの目を向けざるを得なくなってしまいました。

政府やＮＨＫを批判したらＮＨＫに出られなくなった

ＮＨＫは視聴者から徴収する受信料で運営されています。しかし、自らの意思で受信料を徴収する権限はＮＨＫにはありません。国会でＮＨＫに対する年間の予算が決まって初めて受信料の徴収ができるのです。つまり、ＮＨＫは生殺与奪（せいさつよだつ）の権限を政府に握られているというわけです。

そのためにもＮＨＫは政権与党、２０２１年10月末現在でいえば圧倒的多数である自民党の了解が必要となります。ということは、「政府や自民党の意に沿った放送をしないと、国会で予算が認められなくなってしまう」のです。

したがって「政府を批判する人」は基本的にＮＨＫに出演することができません。例えば、民放のワイドショーの司会者やコメンテーターと呼ばれる人たちの顔を思い浮かべてみてください。誰一人としてＮＨＫの番組には出演していないはずです。私自身も例外ではありません。かつては私もＮＨＫの番組に出演していたことがありましたが、政府やＮＨＫを批判した途端に、まったく声がかからなくなってしまいました。

　学者というのは、国家からお金＝研究費がもらえます。ただ、そのためには、国家の意をくんだ研究でなければならない。仮に自分が正しいと思ったことでも国家の意に沿わなければ、国家から「あなたの理論は間違っている。研究費をもらいたいのであれば考え方を改めなさい」と選択を迫られるのです。

NHK を批判して NHK には出演できなくなった

　日本の研究者は決して潤沢な資金のもとで研究に携わっているわけではありません。自身の専攻する学問を究（きわ）めるためにはお金が必要です。「貧すれば鈍する」とはよく言ったものですが、お金を得たいと思うことで「国家の言いなりになる御用学者」へと変貌し、真実を伝えようとはしなくなるのです。

私は自分の信念を曲げたくなかったので、政府の要求を拒否し続けました。すると、それまでもらえていたはずの研究費が1円も下りてこなくなってしまいました。私が国立の名古屋大学で教鞭をふるっていた時代の話です。

NHKを批判したらNHKには出演できなくなりますし、政府を批判してもNHKには出演できない。政府の方針に反目したり、あるいは意に沿わぬ研究をしようものなら、研究費は一切出なくなる——。これが現実なのです。

昔は大学の研究費は国家の介入なく、研究者全員に一律に配布されていました。しかし今は変わってしまいました。役に立ちそうな研究を、国家が査定して教授に研究費を渡すというシステムに変更されたのです。これを「国営研究」と呼んでいるのですが、まさに政府による浸食なのです。

NHK職員平均年収1000万円超と聞いて思うこと

ところで、NHK職員の平均年収はどれくらいかご存じでしょうか。最新の2020年の発表によれば、職員数1万343人、平均年齢41・3歳（平均勤続年17・6年）で、平均年収は1054万3290円となっています（NHKの公表データから算出）。10年前に比べて約1000万円のダウンはしていますが、依然として高水準であることに変わりはありません。

ちなみに、日本人全体での平均年収は436万円（平均年齢40代では510万円）。NHKの職員は2倍以上の高所得者集団であることがわかります。

これほどの年収があれば、どうしたって職業意識を持つこと以上に、「我が身を守ろう」としてしまうものです。1000万円の年収が確保できる職場などそうはありませんし、家族も高い生活レベルを維持したいと考えますから、迂闊なことはできません。

政府を下手に刺激するよりも、公共放送としての職務を守って平身低頭、政府の意に沿った「報道」を続けるほうが火の粉は降りかかってこない――。そう考えるのも自然の成り行きです。だから、結果的に国民を脅すことにつながるような情報や不安になるような情報であっても平然と垂れ流すようになる。

これはもう制度上の欠陥としか言いようがありません。制度設計のミスがさまざまなところで歪みを生じさせるのです。この歪みは将来、極端なことを言えば日本を破壊してしまう危険性も孕んでいます。

だからこそ私は出版物に期待を込めて、こうして新たな本から発信を続けています。出版はテレビなどのように国会の決議によってあらゆることが左右される許認可事業ではないですし、ましてNHKのように国家に牛耳られた世界ではない。制限はあろうと、まだまだ自由闊達にモノが言える環境が保全されています。この分野こそが、日本が明るい未来に向かうための最後の望みであると私は確信します。

出版の世界にまで国家の見えざる手が及んでくるのであれば……、日本は本当に終焉を迎えることになるかもしれません。

テレビの制作現場の人々にこれだけは言いたい!

テレビについて語るとき、もう1つ取り上げたいことがあります。それは、「働いている人の恰好が清潔でない」ということです。

私はテレビに出演するたびに言っているのですが、スタジオの制作現場のスタッフの服装を見ると、失礼ながら人に会うときの服装とは思えない恰好をしている姿がいつも気になっています。男性の場合は毛糸の帽子をかぶって、ひげ面で汚いジャンパー、くたびれたシャツに破れたズボンを穿(は)いている。けれどもこれがテレビ局の現場の人からすれば、れっきとした正装だというから驚いてしまいます。

私はあるテレビ局の上長にこう言ったことがあります。

「私の位置から目に入ってくるのは、カメラマンさんや音声さんの姿です。私からしたら彼らは裏方さんではないのです。できれば常識的な服装をしてもらえないでしょうか」

「わかりました」と返事をしてもらえたものの、服装を改めてくれたことなど一度もありません。

見た目だけで人を判断すべきでないということはもちろん承知していますが、働いている間はプライドを持ち、身なりくらいはきちんとするのは社会の常識だと私は考えます。

こう言うと、「テレビ業界は昔から『3K』職場なんだから、汚れてもいい楽な恰好になるのは仕方がないだろう」「制作現場への蔑視発言だ」「立場の弱い者の気持ちがわからないのか」などと言われてしまうかもしれません。けれども私は、そこで「他人が自分をどう見るかを考えたときに、自分のことを客観的に評価できる心を養っておくべきではないか」と考えてしまうのです。

あくまでも私見であり想像の範囲を出ませんが、服装の崩れは自分の仕事に誇りを持っていなかったり、「今の仕事は一時的に就いているに過ぎない」「いずれはテレビの世界とは縁を切って別の道を探そう」などという思考から来ているのではないでしょうか。

誤解してほしくないのは、私は映像を撮ったり、音声を収録する仕事を大変な敬意をもって受け止めていますし、極めて高度な技術を用いていることにも常々感心しています。それだけに、「もう少し常識的な恰好をしてくれないかな」と考えてしまうのです。

制作の現場にいる彼らの立場からすれば、テレビ局の正社員などではなく、下請けで仕事を受注している一スタッフであることが多く、

「どんな服装であろうと、きちんと仕事をしているからいいじゃないか」

と考えてしまうところがあるのかもしれません。

彼らは朝の5時から撮影することもあれば、仕事が押して明け方まで撮影をしていることもあります。1日8時間どころか、21時間もぶっ通しで働くことになるわけですから、「服装くらいラフなものでいいだろう」という緩んだ考えになってしまう面もあるのかもしれません。

しかしながら、自分の仕事にプライドがあれば身なりは小ざっぱりとする、というのが私の持論です。決して正装を求めているわけではありません。ノーネクタイが一般化し、

いくら服装が簡易になったとしても、人に不快感を与えるようなラフな服装はどうかと思うのです。これは私の持論としてだけでなく、ある意味、日本社会の常識ではないのでしょうか。

第2章

私しか言うことのできないコロナ禍の真実

コロナ禍による停滞は国家とメディアがつくった

この章では、前章でも触れた新型コロナウイルスについての私の見解を、さらに深く記しておきたいと思います。

２０２１年10月に入ってようやく東京都内の１日の新規感染者が１００人を割るようになってまいりましたが、決して収束が見えたわけでもありません。８月の東京都内の一日の新規感染者が５７００人超であった頃から指摘されていたことですが、日本は諸外国に比べて新型コロナによる死者が膨大だったわけではありませんでした。またコロナ患者があまりにも多すぎて、経済活動がまったくできなくなっていたわけでもない。

つまり、この停滞の最大の原因は、新型コロナによる直接的なものではなく、国家とメディア、そして医療の専門家が必要以上に大騒ぎをして、それまで正常だった日本を異常にしてしまったことにあると私は考えます。こうした組織が故意に日本を混乱の渦に陥(おちい)らせたといっても過言ではないでしょう。

かつて福田赳夫総理は、１９７７年の日本赤軍によるダッカ日本航空機ハイジャック事件の人質解放交渉で犯人グループの要求を呑み、「１人の生命は地球よりも重い」という言葉を残しました。たしかに生命は大事ですし、最大限の尊重をされなければなりません。

ただ、日本では毎年120万人が自然死を含む何らかの理由で亡くなっています。

例えばがんで亡くなる人は、2019年のデータによると年間37万人以上。心疾患が20万人、脳血管疾患は10万人を超えています（いずれも厚生労働省発表）。病気で亡くなることもあれば、不慮の事故によって命を失うこともあります。

また、2020年の1年間の日本の死者数は平年を下回ったという報道もありました（日本経済新聞3月29日の記事）。欧米では新型コロナによって死者数が一時的に平年を上回る「超過死亡」を記録していたにもかかわらず、日本ではそうした傾向が見られなかったというのですから、異例中の異例です。

例えば2021年11月10日現在、新型コロナが原因での死亡者数と感染者数の1位から10位までを国別に順にみていくと、次ページの表の通りです。

日本は、死亡者数が1万8328人、感染者数が172万4884人で、27位となっています。上位10カ国と比べても、はるかに低い死亡者数、感染者数であることがわかります。

それにもかかわらず、コロナ感染による死者数ばかりが過剰に報道されている。まるで

新型コロナが原因での死亡者数と感染者数

	国名	死亡者数	感染者数
1位	アメリカ	77万8235人	4753万2357人
2位	インド	46万1827人	3438万6786人
3位	ブラジル	60万9816人	2189万7025人
4位	イギリス	14万2124人	936万6676人
5位	ロシア	24万9215人	887万3655人
6位	トルコ	7万2510人	828万8165人
7位	フランス	11万8023人	723万2157人
8位	イラン	12万7551人	600万4460人
9位	アルゼンチン	11万6165人	529万9418人
10位	スペイン	8万7558人	503万2056人

米ジョンズ・ホプキン大学の発表をもとに作成

この世の終わりとでもいうかのような情報が連日連夜流し続けられました。

命の軽重とは別問題として、世界的に見ても日本ははるかに死者数の少ない状況だったにもかかわらず……。ここまで来るともはや正気の沙汰ではありません。

陽性者を「感染者」としてカウントするトリック

そこで私は、ぜひメディアに、とくに国営放送であるNHKにやっていただきたいことがあります。それは「PCR検査を受けて陽性となった人を感染者と呼ばないこと」です。

みなさんはもうお忘れになったかもしれません

が、新型コロナウイルスが日本に上陸したとき、感染者と呼ばれていたのは、咳や発熱、鼻水、くしゃみなどを発症していた人だけでした。ＰＣＲ検査で陽性と判明された人は、感染者としてカウントしていなかったのです。陽性者がのちに発熱などの症状がみられた結果、病院に行って診察を受けて罹患が認められた人だけが感染者、さらには「患者」としてカウントされていたのです。

今、メディアで「新規感染者」と示されている数字は、厚生労働省や東京都のホームページには「陽性者」としてカウントされています。陽性者の中には無症状の人もたくさんいます。この人たちは厳密に言えば「感染者ではない」のです。普通の風邪やインフルエンザでも同じことが言えるのですが、ウイルスが体内に侵入し、増殖した結果、発症したことで初めて感染者とみなされるのです。

人間には外敵から身を守る「免疫機能」が備わっているので、仮にウイルスが体内に侵入したとしても、必ずしも感染するわけではありません。けれども新型コロナの診断の際に用いられるＰＣＲ検査では、粘膜に数個でもウイルスが付着していれば、「陽性」と診断されてしまう場合もあります。本来であれば、感染者とみなされないのにもかかわらず、陽性者ということで「イコール感染者」とされてしまう。これが大きな間違いを生み出してしまうのです。

陽性者と感染者の数字には、約2倍の差があると言われています。2021年9月時点では、PCR検査を受けた結果、陽性と診断された1日の数は最高で約2万5000人といわれていました。今後、第5波と同じように陽性者が増えてきた場合には、まずはその数字を半分にして感染者の数字を1万2500人に抑えることを進めなければならないはずです。

また、PCR陽性者のうち、新型コロナを発症する人の数は5分の1程度と言われています。ですから陽性者の2万5000人を5で割ると5000人となります。コロナ禍が始まった当初はそのようなかたちで報道していたわけですから、本来であればまた元に戻さなくてはいけないのです。

またコロナで亡くなった人の数というのも、国が発表している数字と大きく異なります。私に言わせれば常識はずれなのです。

前の項でもお話しした通り、がんや心疾患、脳血管疾患などの病気で亡くなった人、自殺した人、老衰で亡くなった人、交通事故に遭って亡くなった人……こうしたかたがたの喉を看護師がPCR検査をしてみた結果、新型コロナウイルスが検出されたら「コロナ関連死」ということにしてしまうのが今のやり方です。こうなるともはや死亡診断書の信憑性は大きく損ねられてしまったと言っていいでしょう。さらに困ったことに、こうした国家の方針を支持する医師がいるというのですから驚きです。

しかし、私は医師のかたがたが持っているであろう職務への強い矜持（きょうじ）に期待をしています。「この状態の患者さんまでコロナ関連死にしてはならない」と強く主張できる医師が現れ、現況を是正する流れができれば、新型コロナの死亡者数は大きく変わってくることは間違いありません。

ワクチンを接種するかしないか、私はこう考えている

誰もが「コロナ禍以前」の生活に戻りたいと思っているはずですが、事態はそう簡単に運ばないと私は考えています。

その最大の理由が、「ワクチン接種」にあります。11月11日現在、日本の全人口に占めるワクチン接種率は、1回接種が約78・2％、2回接種が74・5％となっています。接種に関して、みなさんはきっと迷われたことと思いますし、現在も「接種したほうがいいの

かどうか」と逡巡(しゅんじゅん)されているかたもおられるでしょう。

新型コロナワクチンはかなりの頻度で副反応が出ています。よく言われているのが摂取した腕の痛み、倦怠感、38度以上の発熱などですが、100万人に1人の確率で心筋炎になってしまう人もいます。今年の7月にプロ野球選手が、ワクチンを接種した1週間後の練習中に倒れ、そのまま帰らぬ人となってしまったこともありました。死因は家族の意向により非公表とされていますが、ワクチン接種との因果関係は「不明」とされ、政府閣僚の記者会見でも言及されることはありませんでした。

こうした現実を目(ま)の当たりにしてしまうと、

「ワクチンを接種することは、コロナに感染するよりももっと危険なことになってしまうんじゃないのか」

と危惧する人が多く出てくるのは当然です。そうした不安があるにもかかわらず、政府はひたすら「ワクチンをなるべく早く接種するようにしてください」としか言わない。

一方でインターネットで「コロナ　ワクチン接種　危険」などと検索すれば、すぐに危うさをアナウンスする情報に行き当たってしまいます。こうなると、「やはりやめておこう」と判断してしまう人が多くなるのも致し方のないところです。

日本における新型コロナワクチン接種状況

	全体				
			うち高齢者(65歳以上)		うち職域接種
	回数	接種率	回数	接種率	回数
合計	193,413,413	—	65,352,280	—	19,228,810
うち1回以上接種者	99,031,754	78.2%	32,802,098	91.7%	9,805,102
うち2回接種完了者	94,381,659	74.5%	32,550,182	91.0%	9,423,708

出典：首相官邸HP・11月11日時点

ワクチン接種の副反応は個々の体質によって大きく変わりますから、軽い場合もあれば重い場合もあります。さらには数日で副反応の症状が消えることもあれば、2週間、3週間、下手をすると1カ月以上も副反応の症状が続く場合もあります。

本来であれば、当初から言われていた腕の痛みや発熱だけでは済まされないということを、政府はワクチン接種を進めていく過程でもっと強くアナウンスするべきでした。それを怠(おこた)ってしまったことで、「ワクチン接種派」と「ワクチン反対派」の間に深い溝ができてしまう事態となってしまった感は否めないのです。

ワクチンを接種すれば新型コロナに対する抗体ができると政府はさかんに喧伝していますが、これとて絶対ではありません。人間の免疫機能というのは極めて複雑で、ワクチンを接種しても抗体ができるとは限らないのです。

事実、イスラエルやイギリスのように、国民の多くがワクチンを接種したにもかかわらず、新たな感染者が加速度的に増えていったことも、そうした現実を証明したと言えます。

ワクチン肯定派、否定派のどちらの意見も正しい

そもそもウイルスは約2週間ごとに変異していくものですから、この流れをワクチンで完全に食い止めることなど到底不可能だということを、肝に銘じておかなければならないのです。

新型コロナがさかんにニュースとして取り上げられる一方、私がYouTubeでそのことに対する解説を行っていた際に、コメント欄に「科学者が医者の分野を語れるのか」とのご指摘をいただきました。私自身は、新型コロナに関することはもとより、ワクチン接種についての是非についても相当勉強を重ねてまいりました。

そこでわかったことは、「ワクチンを接種しなさい」と肯定する医師も、「ワクチンを接種するのは止めておきなさい」と否定する医師も「言っていることは両方正しい」ということです。

まずワクチンを肯定する医師は、

「新型コロナに感染して重症化したくなければ接種すべきだ」

と言います。ワクチンには感染を防ぐというよりも重症化を防ぐ効果が一定程度ありますから、このことは間違っていません。

一方、ワクチンを否定する医師はこう言います。

「ワクチンを接種したとしても抗体ができない場合もあり、その後、新型コロナに感染して重症化してしまう場合もある。副反応によるリスクも少なくない。だから接種には反対である」

私もワクチンに対する人体の反応は単純なものではないと考えているので、否定する人たちの意見はよく理解できますし、政府に言われるがままにワクチン接種を肯定し、推奨するような医師を見ていると、「この人はワクチンを接種することによるリスクについては何も考えてはいないのだろうな」と考えさせられてしまいます。

ワクチン接種は「実験に参加する」ということ

今回のワクチンは、弱毒化したウイルスを体内に入れることで抗体をつくるものではなく、新型コロナウイルスの遺伝子情報を入れて抗体をつくるものです。その場合、ウイルスが変異し続けていく中でも、ウイルスに対して抗体がきちんとできるのかという疑問が生じてきます。

さらにいえば、ワクチンの開発から接種に至るまでの時間があまりに短く、通常のワクチンよりもさらにハードルを下げて認可をしてしまった。結果、ワクチンを使用するまでの判断が甘かったのではないかという懸念や、「『治験』でワクチンの認可を下すまでの判断基準を下げたこと」により、ワクチンの副反応のリスクが増大してしまった。この点は間違いなくあります。

繰り返しますが、現在使用されている新型コロナのワクチンは、何万、何十万と数えきれないほどの回数の治験を重ね、さらには侃々諤々(かんかんがくがく)の議論を重ねてたどり着いた結果として誕生したわけではありません。「一刻も早く使用したい」という思いが先走り、本来ならもっと多くの時間と接種の対象となる人数を割かなければならない治験が、「この段階で判断してもいいだろう」と甘めに評価して決定してしまったと考えられるのです。

これが万能型のワクチン、つまり、非特異性（人体を守るためには外敵からのすべての異物を排斥(はいせき)する）のワクチンであったのなら、私は接種に賛成していたでしょう。この手のワクチンは副反応による影響も少なく、安全に使用できることがほとんどだからです。

一方、「特定の外敵だけを人工的に防御する」というワクチンの効能には疑問が残ります。今回のような「新型コロナウイルスには有効だが他には効かない」タイプのワクチンの場合は、人間が持っている免疫機能のすべてを低下させてしまう危険性があると考えられています。

私はこれまでの人生の中で、さまざまなワクチンを打ってきました。ワクチンは最終的には人類が全体で使用しなければならないものですし、その発展のためには私自身も人体実験のつもりでワクチンを打ってきたという自負もあります。

しかし、今回の新型コロナウイルスのワクチンは、国内外を問わずどのメーカーであれ、実質的な効果以前に副反応ばかりが目立ち、国を挙げての実験に参加する国民にとっては、膨大な課題とリスクを抱えた性能のワクチンであったと言わざるを得ないのです。

不都合な動画はYouTubeから抹消される

最近こんなことがありました。タクシーに乗車した際、運転手さんが、「ワクチンを打つと発熱すると聞いたので、近所のドラッグストアへ解熱剤を買いに行ったら、『解熱剤は今は品切れ状態なんですよ。みなさん、副反応に備えるために買い置きしているようですよ』と店員さんに言われてしまいました」と言っていたのです。私は驚きました。これまでの日本社会では到底考えられない出来事だったからです。それだけ多くの人がワクチンの副反応を怖がっているということを、改めて認識させられました。

ワクチンをめぐって、日本は歪な社会になっています。私がYouTube上でどんなにワクチンに関する正しいと思われる情報を発信しても、その後、YouTubeの運営会社からその動画を抹消されましたし、「ワクチン接種は危険だ」などと否定しようものなら、メディアからも猛批判を浴びました。

メディアはワクチンと副反応の因果関係について、あまり積極的に取り上げようとしません。万が一、ワイドショーや情報番組などでそれを扱おうものなら、どこからか圧力がかかって放送できなくなるのではないか――。メディアの現状を考えると、そんな穿った見方をしても決して不自然ではないでしょう。

ここまで閉塞してしまった世の中を、コロナ以前の状態に戻すのは容易ではありません。しかし、それでもやらなくてはいけないことがある。何度も申し上げますが、次に挙げる4つの事柄は、是が非でも徹底させるべきです。

①PCR検査の陽性者を発症者にはカウントしないこと。
②発症者は陽性者の半分程度の数であると明確にすること。
③感染者は陽性者の5分の1の程度であると明言すること。
④新型コロナが原因で亡くなった人だけを「コロナ関連死」とし、それ以外の要因で亡くなった人は、絶対にコロナ関連死とはしないこと。

とくに④は声を大にして言いたいのです。死亡した原因が新型コロナの感染だったとしても、直接の死因が別の病気であった人は、コロナ関連死とすべきではありません。なんでもかんでも「新型コロナで大事に至った」と、すべて当てはめてしまう今の異常な社会は、救いようがない状況になっています。

ここに掲げた4つの対応策を実践することが、これからの社会において必要不可欠だと私は思うのです。

WHOの見解は必ずしも日本に当てはまらない

新型コロナのワクチンについて、われわれ日本人はどう考えたらいいのでしょうか。感染拡大から1年半以上経過した現在、多くの日本人は幸いにして感染をまぬがれました。

厚生労働省の発表では、2021年11月11日時点のPCR検査の累計陽性者数が172万4718人。これはあくまでも陽性者の数字であり、感染者ではないという前提があるにしても、日本の全人口約1億2500万人の中での割合で考えれば、およそ0・013%の数字でしかありません。このことを踏まえて考えれば、必ずしも躍起になってワクチンを接種する必要はなかったのではないかと私は考えます。

こう言うと、「WHO（世界保健機構）の見解と違うじゃないか」という声が聞こえてきそうですが、WHOはあくまでも世界中のパンデミックを抑えるために「みんなワクチンを接種するようにしてください」とアナウンスしているのであって、日本という特定の1カ国の状況とは異なる部分もあります。前項で記したように、新型コロナの死亡者や感染者が世界と比較しても抑えられている日本で「みんなでワクチンを接種するようにしてください」としてしまうのは、私に言わせればあまりにも暴論すぎます。

世界中を見渡せば、民族も違えば環境も違いますし、気候や衛生状態だって違います。多様な世界を一つの規則で縛るというのは、いささか無理があるのです。

それではなぜ、医師たちは繰り返し「ワクチンを接種しなさい」と国民に言い続けるのでしょうか。彼らはまるで国家から「医師という社会的信用のある人間が、『ワクチンを接種しなさい』と一言言えば、国民の誰もが理解してくれるはずだ」と言われているかのようにも思えてきます。

本当に国民の健康を思うのであれば、「ワクチン接種にはメリットだけでなく、こういったリスクもあります」と警鐘を鳴らすことが不可欠です。反対にワクチンを否定する医師たちも、「ワクチンはかつて人類にこういうことで寄与した例もある」と具体的なメリットを交えて話すことが大切です。

今のようにやみくもに肯定派と否定派に医師が分断されてしまうのは、極めて不健全です。相手の言い分にも耳を傾け、双方が考えているメリットとデメリットをきちんと国民に話すようにすれば、ワクチンを接種しようかどうか迷っている国民のよい判断材料となることは間違いありません。

感染防止以上に「免疫力を上げる生活」を

厚生労働省の発表では、新型コロナによる死者は、21年11月11日現在1万8318人となっていますが、私が独自に調べたデータによると、新型コロナが直接原因になっている死者は1000～1300人です。ワクチンを接種することは個人の判断となっていますが、あえて私が意見を言うとすれば、「日頃から免疫機能を上げることに努める」ことをワクチン以前に考えるべきです。

感染者の多い大都市圏に住んでいる人たちは、残念ながら新型コロナウイルスの感染を100％阻止することは難しい状況になっています。そこで現在は感染防止よりも「体力をつけること」が大事だと私は考えます。

2020年時点では、「日頃から白いご飯を食べて、味噌汁を飲んで、発汗作用の強いショウガを食べる。生活習慣の面では、温かいお風呂に入ったり、ビタミンDを摂るために日光浴をする、軽い運動をする」という基礎的なことを充実させたほうがよいと言っていました。

1年たった21年の今やるべきことは、ビタミンC、ビタミンD、亜鉛、自分に合った漢方薬を常備して飲むようにすること。さらに睡眠を十分確保して、これまで7時間睡眠だった人は8時間、8時間睡眠だった人は9時間睡眠をとるようにすること。8時間、9時間のすべての時間を熟睡している必要はありません。横になっているだけでもいいのです。夏場なら室内のエアコンを強く効かせるのは避けて、なるべく体を冷やさないようにして、免疫力を上げるための環境づくりをする。

そしてもう1つ、大切なのは「常に明るい気持ちでいること」です。精神面においても日頃から充実させることが重要で、気分がふさぎ込んでいるよりも、楽しいことを見つけて過ごしているほうが気力が充実してきます。

西洋医学は細菌やウイルスの攻撃を受けることで人は病気になるという考え方ですが、東洋医学は日頃から体を温めることが大切で、冷やしてしまうことで病気になるという考え方であり、西洋医学のようにまず病名をつけて診断するということがありません。東洋医学は、「あなたの体のこの部分が悪かったから不調を招いた」と指摘し、治療を進めていきます。

この考え方はたしかに合点がいくことが多く、実際に西洋医学の医師から処方された薬を飲み続けると、やがて自分の体が徐々に弱くなっていくことが多いのです。例えば解熱剤にしても、一時的な効果はあっても、その後、時間が経過してくると体の調子がより悪くなってくるように感じることもあります。

そうした西洋医学の対症療法よりも東洋医学を基にした「風邪に勝つための体づくり」をしていくほうが、体の免疫力が上がり健康な状態を長く維持できるようになっていくのです。とくに欧米人に比べて基礎体温が低いとされている日本人の場合、体温を36・5度前後に維持して免疫力を上げておくことが大切です。

私は今から2年前に東洋医学の思想を食生活に持ち込みました。西洋医学の医師は薬を処方することでお金を儲けようとしがちですし、製薬会社も医師と同様に、自分たちが開発した薬を多く売りさばくことしか考えていません。

それならば西洋医学の薬を摂取するよりも、ショウガやニンニク、リンゴなどの食材を摂り続けながら免疫力を上げていく。新型コロナの感染防止に決定的な方法がない現在、何をおいてもまずは自衛すること以外に道はないのです。

「居酒屋で感染者が拡大」は根拠がなかった

メディアや国家から発信される新型コロナに関する情報は、今なお錯綜しています。「いったい誰の言う情報を信用したらいいのか」と迷う人は多いでしょう。

私が見た限り、テレビなどの大手メディアに出ている医師や医療関係者の言っていることは一見正しいように思えますが、彼らは国家から言われたことを忠実に伝え続けているにすぎません。

例えば緊急事態宣言下にあったとき、国家は飲食店に厳しい規制をかけ、新型コロナ識者たちはそれに追従しました。つまり、「飲食店に行くと飛沫感染をする確率が高くなり、新型コロナにかかってしまう」ということを徹底して言い続けたのです。

これには大きな間違いがありました。私が調べたところによると、新型コロナの感染原因は「家庭が50～60％、職場が20～30％」であるのに対し、「飲食店はわずか5％程度」に過ぎませんでした。それにもかかわらず、新型コロナ識者たちは強引に飲食店を諸悪の根源としてテレビで主張し続け、国家は長く厳しい規制を続けました。これが新型コロナに対しての理にかなった対策と言えるのでしょうか。

疑問を感じた私は、飲食店が感染源だと主張する、ある専門家に直接聞いてみました。するとと彼は、

「居酒屋で感染した人が、家庭に持ち帰って感染させているんだ」

とメディアでの主張と同じことを言いました。そこで私は、

「家庭で感染した人が、居酒屋に行って感染者を増やしてしまっていることは考えられませんか？」

と聞き返したところ、その専門家は黙って下を向いてしまった。「居酒屋を通じて感染者が増える」という説には、明確な根拠がないのです。

休業補償のバラ撒きより明確なルールづくりを

また、「発症していない陽性者」についてはどう考えるのか。発熱や咳、くしゃみをしていない人は、本当に他人にウイルスをうつしてしまうリスクがあるのかと聞かれれば、

私は「ない」と答えます。無症状者が感染源となることは極めて確率が低いからです。「休業補償」という名のお金を国家が飲食店主に渡し、「これでどうにかやり過ごしてください」としてきたこれまでのやり方がベストだったのかと問われれば、私は決してそう思いません。

飲食店に対して店内での明確なルールを示し、それに沿ったやり方でお客さんと応対させる。ただお金をバラ撒くのでなく、新しい接客方法や店内の設備などにお金を投資したほうが、やみくもに自粛させるよりもよほど健全な運営になっていたはずです。明確なルールをつくり、それを順守していれば、家庭よりも飲食店のほうが感染する可能性は低くなっていたことでしょう。

新型コロナに関する情報は、どこに忖度することもなく、誰もがもっと自由闊達に発言できる状態になるべきだと考えます。何度も申し上げますが、多くの国民は新型コロナに感染しないためにはどうすればいいのか、ワクチンは接種するべきなのか、飲食店には行ってもいいのかについて悩んでいます。

そこで今後、第6波、第7波がやってきたときにどう対応するのか、新型コロナが小康状態を保っている間に、国会議員のかたがたは徹底的に議論してもらいたい。結果、すべての国民をよりよい方向に導き、コロナ以前のような経済活動のできる世の中に戻ることが多くの国民の望んでいることであり、幸せなことであると私は考えているのです。

第3章

プラゴミをめぐって情報はここまで操作されていた

旗振り役・小泉進次郎氏の不勉強

政治によって学問や科学の力が悪用される――。さかのぼれば、ナチス・ドイツが行ったユダヤ人への迫害の背景にも、ゲルマン民族を貴ぶベルリン大学の博士論文があり、生物学の観点からゲルマン民族以外を排斥する自己の理論に正当性を持たせることを図りました。

また、スターリン時代のソ連においても、生物学者のトロフィム・ルイセンコが主張した反遺伝学的思想が重用されたことがありました。ルイセンコが喧伝したことを簡単に言えば、「共産主義のもとで育てた小麦はよく育つ」といったもので、イデオロギーが農業を支配するような極めて非科学的な思想だったのです。

これらと比較するにはとても規模の小さなものにはなりますが、昨今の「レジ袋の有料化」や「プラスチック製のストローの利用中止を求める声」の背景には、政治による科学の利用が透けて見えてくるのです。

レジ袋が環境に悪いという一方的な理由から、少しでも購入者に使用を制限させようと有料化されたのが、２０２０年７月のこと。その旗振り役として先頭に立って推進していたのが、小泉進次郎前環境相です。

小泉氏がどの程度、環境問題について勉強されているのか、私は寡聞にして存じ上げません。けれども、メディアからの圧倒的な注目を集めながらも、意味不明な発言を連発している様子からは、大臣として環境問題を語るレベルにあるとは到底思えなかったのです。

「今のままではいけないと思います。今のままでいいなんて、決して思っていないということをもっと言っていかなければならない」

「気候変動のような大きな問題は、楽しく、クールで、セクシーに取り組むべきです」

ともにニューヨークの国連本部で開催された「国連気候行動サミット2019」に出席した際の囲み取材で小泉氏が語った言葉ですが、まったくもってわけがわからない。

彼の発言を「ポエム」と揶揄（やゆ）する声もあ

大臣として環境問題を語れるレベルではなかった
（写真：産経ビジュアル）

りましたが、政治家が十分な知識のないままに科学を語ると、こうした具体的なファクトのないイメージの言葉のオンパレードになってしまうのです。

レジ袋有料化は環境改善にならないと認めた政治家

そんな小泉氏による「レジ袋は環境に悪い」とする主張ですが、実はレジ袋の使用をやめたところで環境汚染の改善効果はほとんどないというのが、われわれ科学者の間では共通の認識なのです。

日本の各自治体が収集するゴミに占めるレジ袋の割合が、どれくらいかご存じでしょうか。わずか0・4％です。

レジ袋をはじめとするプラスチックについてまかり通っている有害物質発生のウソについては後述しますが、有料化という実質の罰金や増税を課すような措置は、むしろ国民の生活に大きな支障を生んでしまっています。

スーパーやコンビニなどでの買い物はもちろん、普段の生活の中でも不便さを感じることは明らかに多くなりました。レジ袋の代わりに持参するエコバッグは使用のたびに洗わなくてはすぐに不潔になってしまいますので、非常に手間がかかる。また、ゴミを集める袋としても使えるレジ袋の役割は非常に大きかったのですが、それも安易に使用することができなくなりました。聞いたところによると、レジ袋を製造しているメーカーの中には、レジ袋がこれまで通り大量生産できなくなってしまったことで、操業停止に追い込まれた企業もある模様です。

この不便さについては小泉氏もご理解されているようで、BSフジの「プライムニュース」(2020年7月)に出演され、視聴者からのメール質問で不便さを指摘された折には、このような趣旨の発言をされていました。

「不便になってしまっていることは申し訳ない。レジ袋をすべてなくしたとしても、プラスチックのゴミ問題は解決しないし、有料化はそれが目的ではない。有料化の措置をきっかけにして、世界でプラスチックゴミがいかに問題視され、取り組まれているのかについて問題意識を持ってもらいたい」

つまり、国民への啓蒙(けいもう)が目的であり、レジ袋の有料化が環境問題の改善に寄与することについては、小泉氏自身も期待していないことを公言したのです。「ファクトなき科学の利用」とはまさにこのことでしょう。

人気ある政治家はなぜ浅薄に環境問題を語るのか

小泉氏だけでなく、同じくかつて環境相を務めた小池百合子東京都知事も然りなのですが、どうも国民から人気があるとされている政治家は、環境問題について意見することが多いようです。２０２１年7月の東京都議選で自民党候補の応援演説に駆け付けた小泉氏は「私と小池都知事には共通点がある」と発言していました。このとき、自身の人気取りの材料として安易に環境問題を語ることに私は違和感を覚えました。

両者の共通点として改めて指摘しておきたいのが、小泉氏による東京電力福島第一原発の処理水の海洋放出についての発言と、小池都知事の築地から豊洲への市場移転です。

小泉氏は「海洋放出」を否定したうえで、地元の漁業関係者に謝罪し、「福島の漁師のかたがたに思いを馳せなければならない」と語り、小池都知事は移転に際しての安全基準と環境基準を混同して「安全より安心を重要視」したことで必要以上の時間とコストをかけてしまいました。

科学的なデータに関して学んでいたのなら、お二人がこのような発言をすることはなかったのではないでしょうか。二人の共通点とはつまり、「浅薄な知識しかなかった」ということだったのです。

プラスチックの歴史を紐解いてみる

プラスチックゴミをめぐっての違和感は、それを報じるメディアの姿勢にも強く感じています。

かつてプラスチックは自然分解されない物質とされ、ポイ捨てや投棄されたものが海に流れ着くと、漂着したプラスチックは劣化して細かなかけらとなって海中のゴミになっていくと指摘されました。細かくなって直径5ミリ以下になったものを「マイクロプラスチック」と呼び、海洋生物がそれを食べてしまったことで体内に蓄積され、結果、海洋生物が生存の危機に瀕(ひん)するだけでなく、著しく環境を悪化させる元凶となってしまうというのが昨今の流れです。

マイクロプラスチックの害悪が指摘され始めたのは、およそ2年前のことですが、そもそも私たちはマイクロプラスチックについて、どれだけの知識があるのでしょうか。それ以前に、プラスチックという物質について、どこまで正しく理解しているのでしょうか。

プラスチックの工業化の歴史は、１９２６年にドイツの化学者であるヘルマン・スタウディンガーが、ポリマー（高分子）が長い鎖状分子からできていることを発見したことに始まります。その4年後には、ポリスチレン（ＰＳ）、34年にアクリル樹脂（ＰＭＭＡ）が工業化されていったことをきっかけに、日用品から工業用まで幅広くプラスチックが使われることになったのです。

さらに38年にはアメリカのウォーレス・カロザースらが、ポリアミドを発明。主要研究員5人のイニシャルをとって、「ＮＹＬＯＮ（ナイロン）」と名づけられ、41年に工業化されました。衣類はそれまでの綿から合成繊維へと転換され、世界にも大きな影響を与える革新的な発明となりました。

日本でプラスチックが使用されるようになったのは、さらに先となる太平洋戦争後。生産が盛んになってくるのは60年代に入ってからで、神奈川県の川崎や三重県の四日市、岡山県の水島などに次々と石油化学コンビナートが建てられ、ポリエチレンをはじめとするプラスチック製品が大量生産されました。結果、衣料や生活環境用品、さらには車のタイヤや電化製品にいたるまで、ありとあらゆる生活用品として浸透していったのです。

生産が拡大し製品が普及していくのと並行して、プラスチックのゴミも増えていきました。当初は焼却炉などでの処理が難しかったこともあり、「プラスチックは環境に悪い」と排斥運動が起こりました。以来、「プラスチックゴミ＝環境破壊の害悪」という認識が浸透していったのです。

大学が学生たちに教えなければならないこと

近年問題視されているマイクロプラスチックですが、国立大学の先生が突如としてテレビに登場し、「マイクロプラスチックは、海の生き物の体内に蓄積されてしまい、それだけでも環境汚染につながっている。私たち人間が是が非でも解決しなければならない問題だ」などと語り出したことから、「マイクロプラスチック＝害悪」という認識が一般に広がっていきました。視聴者からすれば、権威ある研究者が警鐘を鳴らすわけですから、「マイクロプラスチックは悪である」という刷り込みは自然となされていったのです。

はたして「マイクロプラスチックは環境汚染につながる」ということは真実なのでしょうか？

私がまず異を唱えておきたいのは、「大学の先生が持論を述べるようなことは本来してはいけない」ということです。

私も大学教授という立場で、これまでに多くの学生たちを指導してきたから言えることですが、教壇に立つときは、

「学問を正しく教えるのはいい。しかし、自分の考えを学生たちに押し付けるようなことは決して行ってはならない」

ということを、肝に銘じて参りました。学生たちは大学で「武田邦彦の個人的な考えを学びたい」のではありません。「自分が学びたい学問について、正しい知識を身につけたい」のです。

とりわけマイクロプラスチックの問題は、ここ最近で問題視されるようになったのではなく、日本でもプラスチック製品が生活に浸透するようになってきた１９６０年代からアセスメント（客観的に分析）されてきました。

その後、80年代になるとプラスチックが自然分解するか否かが大きな関心を呼ぶことになり、プラスチックに関する研究は一層盛んになりました。当初こそ自然環境に残留する危惧を指摘する声が趨勢（すうせい）を占めたものの、年々進歩する科学的な検証と判断を踏まえた結

果、プラスチックのほとんどは自然分解されてしまうことがわかり、この研究自体も90年ごろに消滅していきます。

「マイクロプラスチックが発生したとしても、ゴミとして回収さえしてしまえば大きな問題にはならない」

という結論にいたったのです。

ネガティブキャンペーンを煽る意味不明な芸能人コメンテーター

十分な知識も持たない人が、メディアを介してその筋の識者たちから「マイクロプラスチックは環境を破壊する」と繰り返し言われたら、どう考えるでしょう？

「たしかに環境に悪いかもしれない」

「海の生物に悪影響を与えるかもしれない」

「ならば、マイクロプラスチックそのものをなくさなければならない」

などとネガティブな方向に思考をめぐらせてしまうはずです。

そこへNHKや朝日新聞などのいわゆる大手メディアが「マイクロプラスチックは害悪

である」と、追い打ちをかけるようにネガティブキャンペーンを張った。そのおかげで人々の脳裏には「マイクロプラスチックは悪」という刷り込みが浸透していった。まさに大手メディアが誘導した罪と言えるでしょう。

ある社会学者は、メディアによる刷り込みの危うさをこう分析しています。

「人間は何度か同じことを繰り返し主張すると、それがあたかも自分の考えのようになっていく」

こうしたメディアによる誘導には昨今、さらなる拍車がかかります。情報番組やワイドショーでコメンテーターとして起用される芸能人たちが、専門家でもナーバスにならざるを得ないテーマについて、まるで自分で考えた意見として主張するようになりました。本来、門外漢である芸能人にこうした専門分野の意見を求めること自体が間違っているのですが、仮にコメントをするとなれば、これまでは「庶民としての疑問を呈する」程度に留めるのが通例でした。それが今や専門家のようなコメントを発する。10～20年前のテレビでは考えられなかったことです。

私はなにも、彼らが意見すること自体を否定したいのではありません。知識のないズブの素人である芸能人が、科学のファクトではなくメディア側の意向によってつくられた情報を、まるで自分が得た知識であるかのように平然と語ることに呆れているのです。その結果、間違った情報が拡散されていき、その意見を見聞きした視聴者がそっくりそのまま信じ込んで自身の考えに植え付けてしまう――。

専門家の意見の受け売りにすぎないのに、自分の見識として主張する彼らの姿は滑稽に映りますが、「その意見が間違っていたとしたら、あなたはどう責任を取るのですか?」と詰問したくなるときもあります。

「ストローは環境の敵」となった背景

科学的ファクトではない主張がまかり通る背景には、メディアによる作為があるものです。

マイクロプラスチック排斥のきっかけとなった出来事を思い返してください。それは、アメリカの大手コーヒーショップチェーンで提供されていたプラスチック製のストローでした。「これほど大量のプラスチックを使い、挙句の果てに1回使用するだけで大量に街中に捨てられている」という話がアメリカで拡散され、それがやがて日本に入ってきた。

そこで初めて「ゴミとなったストローは環境の敵」という見方が世界の共通認識のように広まっていったのです。

さらに、2015年8月には、コスタリカの沖合で鼻にストローが突き刺さったウミガメが発見されました。鼻のストローを、アメリカテキサス州のA&M大学でカメの研究をしている海洋研究チームの学生が抜いたところ、長さおよそ7~8センチのストローが現れ、その直後、ウミガメの鼻から血が流れ落ちた。その動画がYouTubeに投稿され、4000万回以上が再生されました。

この映像のインパクトは非常に大きく、世界中の視聴者から「ウミガメがかわいそう」「プラスチックのストローはけしからん」「プラスチックのストローを海に捨てて汚すな」など非難の声が続々と上がりました。

結果、「プラスチックのストローは環境によくない」という声がさらに高まっていき、スターバックス・コーヒー、マクドナルド、ウォルト・ディズニー、ヒルトンホテル、すかいらーく、全日本空輸、セブン-イレブン、ケンタッキーフライドチキンなどの名だたる大企業が、「ストローを提供しない」という措置に踏み切ったのです。

なぜウミガメの鼻にストローが刺さるのかを考えてみる

この是非について、私は何も申し上げません。ただ、こうもスピーディーに社会のコンセンサスとなっていく現実を目の当たりにすると、何とも言えない違和感を覚えてしまいます。

その理由として、私はこのウミガメの映像を見ていて、「おや？」といくつかのことに目が留まったからです。

まず、ウミガメの鼻に突き刺さったものがストローだと、すぐには気づかなかったのです。私の専門は科学ですから、「なぜ海中でカメの鼻にストローが突き刺さったのか」という力学的な視点に目が向いてしまいます。

動画では学生が引っ張ってもなかなかストローを抜くことができなかった様子が映っていますが、なぜこうも取りづらい状態で、しかもあの長さのストローとおぼしき物がウミガメの鼻に入ってしまったのかが、不思議でなりませんでした。

第一に考えられるのが、「鼻呼吸をするため、ストローが鼻腔の奥深くにまで入り込んでしまった」ということです。とはいえ、万が一ストローが鼻に入り込んだとしても、ウミガメの鼻呼吸の力だけの吸い込みで、あの長さのストローがまるまる入ってしまうものなのでしょうか。

カメと人間では構造が違うかもしれませんが、仮に人間の鼻に異物が入り込んで来たら、すぐに鼻息で出そうとするはずです。ウミガメは鼻呼吸と口呼吸を併用するようですが、異物への反応として鼻に入ってしまうことを防ごうとしたとしてもなんらおかしな話ではないのです。

ウミガメの件は、あらゆる可能性を考える必要があるのではないかと私は考えます。あまり想像したくはありませんが、ひょっとしたら何かしら人為的な力で押し込まれた可能性を疑ってみる必要があるかもしれない。

1991年の湾岸戦争のときに流された「重油まみれの水鳥」の写真をご記憶のかたもおられるでしょう。あれはイラク軍が故意に破壊した石油施設から流出した原油によって身動きが取れなくなった鳥たちの状況を見せ、イラク側の野蛮な振る舞いを示すためのプロパガンダとして使われた、アメリカ軍が発表したフェイクニュースだったのです。石油施設にミサイルを撃ち込んで、原油を流出させたのはアメリカ軍でした。

つまり、一つのウソをあたかも真実であるかのように伝えることの裏には、何かしらの意図や利権的な仕掛けがある。その利権を享受する者がいてもおかしな話ではないという観点を端（はな）から否定してしまっては、真実を見抜けなくなってしまいます。こうした映像を鵜呑みにして、「カメがかわいそうだから、プラスチックのストローを使うのはやめよう」と短絡的に考え、結論づけてしまうことの危うさも忘れてはいけないのです。

環境運動家に利用されたビニールハウス問題

「プラスチックは環境に悪い」という主張が常識のように広がることの危うさを、私も感じています。レジ袋やストロー以前に、日本でプラスチックへの危険認識を拡大させたのは、１９８０年代から90年代にかけて盛り上がった「農業用フィルム」、いわゆる「ビニールハウス」の問題でした。

農業用フィルムは塩化ビニールを使用しているのですが、強度が低いために、比較的容易に破れてしまうことが多く、劣化すればすぐにゴミとなってしまいました。そこに目を付けたのが、「環境運動家」と呼ばれる人たちでした。

彼らが繰り出したのが、こうした主張でした。

「劣化した農業用フィルムは散乱して畑の土壌に交じり、環境の破壊につながる」

前述のレジ袋やプラスチック製のストロー、マイクロプラスチックについての危険を訴える声と同じにおいがしてきます。ゴミとなったそれらすべてが「回収されないことが前提」の話となっていたからです。

私は到底理解できませんし、まったく腑に落ちません。現実として農業用フィルムは、基本的に廃棄物として正しく処理されているのにもかかわらず、なぜか回収されずに放置されていることを前提に議論をしようとしています。

たしかに、正しく廃棄されない場合にはそうした危惧も出てくるでしょう。そのためメディアは、正しく廃棄されずに風で飛んでしまって鉄道の架線に引っかかったり、あるいは道路に落ちたままになっているビニールハウスの残骸をこぞって報道し、「ビニールハウスは大量のゴミを発生させる」と批判の標的としていったのです。

ビニールは本当に自然に還らないのか

メディアによる問題視が過熱していく中、ビニールハウス栽培をしている農家のかたがたからは、「それなら土の中で分解される『生分解性プラスチック』（自然界に存在する微生物の働きで、最終的にCO_2と水に完全に分解される性質）を使用すればいいじゃないか」という声が上がりました。

ところがこのとき、

「従来の自然の成分を用いたビニールを使えば自然に還るけれども、プラスチックは自然のものではないので土の中に還っていかないじゃないか」

という批判の声が上がってきたのです。

私に言わせればこうした理論はまったく荒唐無稽です。しかし、一般的には「ビニール＝半永久的に分解されずに廃棄物として地面に残ってしまうもの」というイメージがあるので、余計に「ビニールは不要なゴミとなる」という話が説得力をもって聞こえてしまうのでしょう。

例えば、木材は放置しておけば、朽ち果てて自然に還ります。「そこがプラスチックとは違うところだ」と思われがちですが、プラスチック同様に二酸化炭素からできたものが高分子となったものなのです。

ところが、なぜか多くの人々は「樹木は自然由来のもの」で「プラスチックは自然由来ではない」と考えている。「樹木は土に還るが、プラスチックは土に還らない」という誤った説が一般に根付いてしまっているので、「プラスチックは環境を破壊する」と短絡的に結論付けてしまうのです。

その後、生分解性プラスチックの研究が進み、私のところにも複数の企業から研究の依頼がきました。１９９０年代になると、生分解性プラスチックの開発はさらに進み、同時に農家の人たちに対しても、農業用フィルムを正しく廃棄処理するよう通達が出たのですが、これは当然のことです。

自然由来の食べ物にしても、そこらじゅうに捨てていたら腐って悪臭を放ちますし、虫も湧いてきます。環境によくない処理の仕方こそ問題の元凶なのです。

生分解性プラスチックは意外と早く分解される

生分解性プラスチックの広がりによって、農業用フィルムの投棄は急速に減っていきましたが、それでもなぜか「農業用フィルムはよくない」と主張している人たちだけはいなくなりませんでした。これは現在のレジ袋問題の構図とまったく一緒です。

さまざまな研究の結果、「プラスチックは意外と早く分解される」ということがわかってきました。プラスチックは長い糸状のものが絡み合った構造をしており、非常にシンプルに言うと、この糸状の物質が7カ所つながると硬くなり、6カ所以下だと柔軟性に富んだプラスチックになります。構造上、引っ張ると伸びるので、素材そのものも実は柔らかいのです。

例えば、紐をがんじがらめに巻いて縛れば硬くなります。野球の硬式ボールの芯も同じ構造で、丈夫な紐上の物質が何重にも巻かれてボールの硬さをつくっているわけです。レジ袋や車のボディ、飛行機の機体などにも使うことができるため、プラスチックの利用価値は極めて高いのです。

ところが、プラスチックは日光に弱く、長時間太陽の光に当たっていると、紐状の物質のつながりは切れやすくなり、一気に劣化して使い物にならなくなってしまいます。

プラスチックの原料である石油は、数億年前の生物の死骸が化石化し、さらに長い年月をかけて地熱や地面の圧力を受けることでつくられました。石油の素材そのものが自然由来のものですから、放っておけば分解されて土に還りますし、燃やせば炭素となって微生物の栄養にもなります。

つまり、石油から生まれたポリ塩化ビニールやポリエチレンなどの安い工業用のプラスチックは、外に置いておくと半年か1年くらいでボロボロになって、やがてそれが微生物によって分解され、土に還っていくというわけです。

分解の過程で毒物が発生するというウソ

一方、生分解性プラスチックは特殊な構造で、製造するまでに時間がかかります。ポリ塩化ビニールやポリエチレンなどはコストが安くて済むのですが、生分解性プラスチックの生産はコストも高くなってしまう。また特殊な構造ゆえに、分解の過程で毒物を排出することも指摘されています。

実はこれが誤った考えなのです。生分解性プラスチックはたんにプラスチックがバラバラになるのではなく、微生物の働きによって分子レベルにまで分解し、最終的には水と二酸化炭素になって自然界へと還っていきます。ですから、生分解性プラスチックの成分そのものが土中に蓄積されることは基本的にあり得ないのです。

けれども、こうした生分解性プラスチックのメカニズムについて、大学教授をはじめとする識者たちの中にも理解が及んでいない人が少なくはなく、安全性の認知度が周知徹底されていないのもまた事実なのです。

さらに90年代になると、ダイオキシン、環境ホルモン（生物の本来のホルモン作用を攪乱する物質）の発生という問題が取り沙汰されました。この元凶となる物質として疑われたのが、塩化ビニール、ポリスチレン、カーボネットといった旧来からあるプラスチック物質でした。

これらの問題が取り上げられるようになってから5〜6年の間は、さかんに危険性が言われ続けていましたが、その後の研究によって、「環境に悪影響を与えることはない」ということがわかり、厳しい追及を受けることはなくなっていったのです。

魚から出たマイクロプラスチックの真相

問題提起され、科学的に危険でないことが立証されるなどを繰り返してきたプラスチック。それがなぜ今、マイクロプラスチックに関してこうも問題視されてしまうのでしょうか。

一つは、科学的な検討が不十分なまま、中学校や高校、大学などで半ば刷り込みのごとくマイクロプラスチックを害悪と決めつけ、「環境を改善する取り組み」を始めてしまったことが問題として考えられます。教育の現場でそんなことがまかり通っているとは、科学の視点を無視したおかしな方法です。

そもそも学校とは、学生たちに「冷静な判断力や科学的なものの見方を養うための力をつけさせる場」です。それがマイクロプラスチックに関しては、「科学的な検討が不十分なまま」に環境を悪化させる元凶として決めつけてしまった。教育機関自らが「過激な環境運動家による主張」と何ら変わりのないことを率先して行っているのです。

さらには、マイクロプラスチックがいかに環境に対する害悪であるかを知らしめる映像を使い、科学的ファクトによる証明ではない、感情に訴えるようなかたちでの洗脳をしてきたことも挙げられます。

魚の体内にマイクロプラスチックがあるかどうかについて、200匹の魚の体内を検査し、4匹から検出されたとします。魚は小型のプランクトンを餌として食べるため、泥や石などを同時に摂取していることがあります。これらと一緒にマイクロプラスチックを体内に摂取することがあるので、本来であれば「マイクロプラスチック以外の自然界にもともともとある物質は、どのくらい魚の体内から見つかるのか」ということも並行して議論しなくてはなりません。

けれども、こうした考え方が完全に抜け落ちてしまい、「魚からマイクロプラスチックが見つかった」ことだけが世間に広くアナウンスされている。本当は「泥や石なども魚の体内から見つかった」可能性が高かったにもかかわらず、まるでマイクロプラスチックだけが入っていたかのように報道されてしまうのです。

結果、「マイクロプラスチックは魚にとって害悪でしかない」という評価となり、マイクロプラスチックに対する排斥運動はますますエスカレートしていきました。プラスチック製のストローの不使用だけにとどまらず、一部の過剰な思想が進んだことで、「プラスチックの全面禁止論」まで叫ばれるようになっていったのです。

科学のファクトを否定する過激団体とメディア

本来であれば、さまざまな視座からの分析と議論を重ね、管轄官庁である環境省が現状把握をして進めていかなければならない問題です。それがひたすら「マイクロプラスチックは害悪である」という論の一辺倒になっている背景には、「マイクロプラスチックを悪とすることで利益を得る人たち」、つまり、何らかの「既得権益者」による妨害があるのではないかと思わざるを得ません。

マイクロプラスチックはその小ささゆえに分解が極めて早いことが解明されています。また、戦後70年超の長きにわたってプラスチック製品が使われてきた中、有害な物質や影響はなかったこともだいぶ明らかになってきました。もちろん、あらゆることに疑問を持ち、新たなファクトを見出すことは科学者としても大切なことではあるのですが、その指摘が荒唐無稽では建設的な議論がまったくできなくなり、疑問のベクトルはあらぬ方向に向かってしまいます。

科学とは、特定の人の偏った感情や考えから一定の結論を出すべきものではありません。例えば、飛行機は機体に合わない非科学的な材料を用いて製造すると、風向きや気温の変化、気流などのすべての圧力が機体にかかってしまい、飛行中に上空で破壊することもあり得ます。精緻（せいち）な計算のもと、相応（ふさわ）しい物質を使用して機体を組み立てなければなりません。同様に、私たちの身の回りにあるものも、科学の力をもって精密に分析すべきなのです。

それにもかかわらず、メディアは扇情的な写真を使ってミスリードをしたり、過激な「反マイクロプラスチック」を主張する環境団体は論理的ではない感情に任せた発言をする。さらに、誰か特定の人たちが得をする利権が絡んでくるような場合には、環境運動によって極めて大きな環境破壊がもたらされることもある。こうしたカラクリを常に考えておかなければ、環境問題の本質を見誤ってしまうのです。

環境改善を叫べば「お金になる」

ところが、事態は異なる方向に動いていきました。環境活動家たちはますます過激なプラスチック糾弾の声を上げていったのです。

彼らが強く主張したからといって環境問題は解消しませんし、活動家たちにしてもそうは考えていません。なぜなら環境をよくしようと訴えれば「お金になる」ことが彼らにはわかっているからです。自分たちの活動をしかるべきタイミングでメディアに取り上げてもらうことこそ、彼らのビジネスにとって重要であると考えている。これでは問題が解決できるはずがありません。

「テレビや新聞は世間を煽ることによって、お金儲けをしている」ということに多くの活動家が気付き始めたのが、１９６０年代、70年代の二度にわたって日本国内で起きた安保闘争でした。このときは「なぜ日本はアメリカと共同で自国の防衛をしなくてはならないのか」という本筋の問題でなく、「安保反対」という単純化されたイデオロギーの問題として取り上げられたのです。

当時の世界情勢はベトナム戦争が泥沼化し、アメリカ国内で反戦運動が高まり、中国では文化大革命が熱を帯び、ワルシャワ条約機構軍によるチェコスロバキアへの軍事介入、俗にいう「プラハの春」が起きるなど大きな混乱に包まれていました。そのさなかに、日本では安保闘争が起きていたのです。

十年サイクルでメディアは騒動を煽ってきた

安保闘争の熱気がピークに達したのは、60年に全学連主流派の中にいた東京大学の学生だった樺美智子さんが警官隊と衝突して亡くなったときでした。この事件は全国紙の社会面にも大きく掲載され、「警官に踏み殺されたのか」などセンセーショナルな内容で伝えられましたが、後年、樺さんを踏み殺したのは警官ではなく、同じ学生の仲間だったのではないかという衝撃的な証言も報じられました。最終的には「政府と警察、そして全学連の両方に責任がある」と結論づけられることになったのです。

安保闘争後、事態は急激に収束し、日本とアメリカは同盟関係を結んで今日にいたっていますが、安保闘争の本質的な問題に対する検証や分析は何一つ行われていません。あの学生運動はいったい何だったのか、今なお不思議に思ってしまいます。

そして、安保闘争に代わって取り上げられるようになったのが環境問題でした。70年代には「近い将来、石油が枯渇する」と大騒ぎになり、第一次石油ショックの際には町のスーパーマーケットから買いだめによってトイレットペーパーがなくなる事態にまで発展していったのです。

80年代になると、先に記した農業用フィルムや農業用薬品の複合汚染の問題などが取り上げられるようになりました。そして2000年代にはダイオキシンや環境ホルモンの問題。2011年には東日本大震災時に起きた東京電力福島第一原発の事故による放射能汚染の問題。20年には新型コロナウイルスによる感染拡大など、メディアは奇しくも十年に1度の周期で何らかの問題で大騒ぎをしてきたのです。

そしてなんの成果も生まないまま、「あのときの騒ぎは何だったのか」というよくわからない疑問の投げかけで終止符を打つことを繰り返してきたのです。

「お金になるから報道する価値がある」という罠

なぜこの無意味なパターンが繰り返されるのでしょうか。

視聴者や読者を不安にさせ、過度に煽ることでテレビは視聴率を稼ぎ、新聞は部数を伸ばしてきました。しかし、そこで取り上げた報道は果たして真実だったのかと言われれば、決してそうとは言えないものばかりです。

私自身、テレビの情報番組に出演していたので内情はよくわかるのですが、例えば台風シーズンになると、テレビ局の人たちは「お祭りが来た」と言って大騒ぎをしていました。なぜなら視聴率がいつもより約2％は上がるからだというのです。「台風は危険なものである」と煽ることで視聴者の関心を集め、視聴率が上がれば番組のスポンサー企業からの莫大な広告料として還元されるという、テレビ業界独特のお金儲けの仕組みがそこにはあるのです。

環境破壊を取り上げることも同様です。メディアがイニシアティブをとって、スポンサー企業を募ってイベントを開催し、環境問題を語ることのできる専門家と呼ばれる人たちをそこに登場させ、多くの来場者から入場料を徴収する。それが大きな利権となっています。

しかし、メディアは冷酷です。問題提起の当初こそ熱心に報じるものの、ほとぼりが冷めたら、あるいは視聴率がそれほど取れなくなってくると、彼らにとっての旨味はなくなってくる。「お金になるから報道する」のであり、それがなければ報道する価値はないとするのが、大手メディアの考えではないでしょうか。

そして、どんなに私が環境問題で正論を述べても、建設的な批判をぶつけてくるのではなく、感情的な悪口で私を一方的に叩こうとするのが、そうしたメディアに都合の良いコメントをし、不都合な真実には目をつむる専門家、あるいは「御用学者」と呼ばれる面々です。メディアは彼らとタッグを組んで、視聴者の不安を煽りまくる。マイクロプラスチックの問題についても、こうした手法を用いて不必要に煽っていたというわけです。その作為的な論調を、あたかも真実かのように訴える手法を繰り返していく――。

ただ、最近の視聴者は物事の本質を見抜いていて、扇動の仕組みに大方の人々が気付き始めています。

「テレビを見ているだけでは本当の真実を知ることはできない」

大手メディアの作為的なまでの偽善や、視聴者を騙すような正義漢の化けの皮は、もはや剝がれつつあるのです。

第4章

ダイオキシン、ペットボトル、環境問題の暗部

「ダイオキシン騒動」の悪意報道を忘れてはならない

メディアに流れる情報には作為がある——。そう認識させられた出来事は今に始まったことではありません。しかし「喉元過ぎれば熱さ忘れる」の慣用句の通り、衝撃を持って伝えられた出来事ですら、やがてわれわれは忘れてしまいます。そして、時の権力者らは懲りずに作為的な情報を流して世論を操作しようとする。現在もその繰り返しと言っていいでしょう。

この章では、私がこれまで看過できなかった悪例を改めて取り上げることで、今の時代の既得権益者への警鐘を鳴らしたいと思います。

これは現在と変わらない構図ですが、深刻な環境問題があり、それを取り上げた情報番組は、東大卒などの高学歴であるその筋の専門家、識者ら、肩書だけは超一流の面々をスタジオに揃え、誰にでも理解できるような言葉で事態の危険さを深刻に語り合わせます。

それを見ていた視聴者は、目の前の情報が真実であると信じて疑わない。その理由は、「偉い人たち」が話しているから——。

現在はインターネットによって誰でも膨大な情報にアクセスすることができますが、かっては一視聴者としての情報源は、テレビやラジオ、新聞、雑誌、書籍くらいしかありませんでした。限られた情報から真偽を確かめるのは極めて困難でした。

そんな時代に起こったあしき前例が1999年2月、日本中を大騒ぎさせた「ダイオキシン問題」のニュース報道でした。当時のテレビ朝日の人気番組の一つだった『ニュースステーション』が、「埼玉県所沢産の野菜から、高濃度のダイオキシンが検出された」と報道したのです。

ダイオキシンは当時、「人類史上もっとも強い毒性を持った化合物」とまで言われ、焚き火をしたり魚を焼いたりするだけで発生するというのですから、多くの国民に衝撃が走りました。その後、「プラスチックを燃やすと、最強の毒性物質のダイオキシンに変わる」、あるいは「ダイオキシンによって焼却施設が劣化してしまう」などという報道が追随し、「ダイオキシン＝凶悪説」が加速していったのです。

そもそもダイオキシンはどうやってつくられるのか。これには3つの条件があります。まずは植物や動物などの有機物が存在すること。次に塩素などのハロゲンが存在すること。最後に300〜500度くらいの高温が必要となることです。つまり、焚き火をすればダイオキシンは自然に発生しますし、肉や魚を調理していてもダイオキシンは発生するのです。

キッチンでは毎日ダイオキシンが発生している

ここである疑問が浮かんできます。

「飲食店の調理場で働いている料理人は、肉や魚を焼く機会が多いからダイオキシンの影響を受けてしまうのではないか」

「毎日家族に料理をつくる主婦も危険ではないのか」

ところがその後、ダイオキシンが原因で亡くなった人の話は一度も聞いたことがありませんし、病気になった人すらいません。

例えば、飲食業で炭火の前で焼き鳥を焼いているオヤジさんは煙がモクモクと上がる中、鶏肉に塩をかけたりタレをつけたりして、摂氏400〜500度くらいの炭火で焼いていますが、これはまさにダイオキシン発生の格好の温度となっています。

けれども、焼き鳥職人がダイオキシンが原因で入院もしくは亡くなったなど聞いたことがありません。もっと言えば、店の常連客にしても、炭火の前のカウンターで飲み食いしていたのならダイオキシンを吸い込んでしまっているはずが、彼らの中にもダイオキシンが原因で体を壊した人がいるという話は聞きません。

ダイオキシンを毎日浴びたとしても人体に大きな影響を与えないということは、やがてわかってきます。ダイオキシン報道は極めてセンセーショナルな内容で最初は私も驚きましたが、２００１年１月、当時の東京大学医学部教授で免疫学や毒物学の第一人者であった和田攻教授の論文によって、「ダイオキシンによる健康被害が発生する可能性は、ほとんどないと思われる」ことが立証されたのです。

しかも「将来、健康被害が発生する可能性はほとんどない」とまで断言しました。未来のことを書くのは過去の結果を分析するより難しく、より信憑性が求められるため、われわれ科学者は軽々しく未来のことを語りはしないのですが、和田氏の論文は「ダイオキシンは決して危ない物質ではない」と、将来にわたって災禍を残すものではないことを明言していたのです。

ただ、『ニュースステーション』の誤報は、所沢市の農家のかたがたに多大なる風評被害をもたらしました。「ダイオキシンまみれになった野菜は売り物にならない」として所沢産の野菜は危険だというレッテルを貼られ、野菜の価格が驚くほど暴落したのです。

のちに損害を受けた所沢市の農家をはじめとする３００人超が原告となり、テレビ朝日に対して訴訟を起こしました。裁判は最高裁の判断を仰ぐこととなり、「報道の主要部分について真実であるとの証明がなされない」とされ、テレビ朝日側は１０００万円の和解金を支払うことで、農家側の実質的な勝訴となり、一応の決着をみたのです。

それにしても、テレビ朝日はなぜずさんなデータを使って「ダイオキシンは危ない」と伝えたのでしょうか。その真意ははかりかねますが、何らかの意図があったことは推して知るべしです。

報道によって巨額の税金が動いた裏事情

「ダイオキシンは危険ではない」という事実は、時間の経過とともにダイオキシンによる死亡者が出なかったことからも証明されました。

ところが、これに対する国家の施策は違っていました。最初に取りかかったのは、ゴミ処理の焼却施設を改造することだったのです。

焼却施設でゴミを燃やしているときにはダイオキシンはそれほどの量は出ませんが、運転を止めて温度が下がると生成されます。ただし、焼却施設を長い時間燃焼させていれば、設備の劣化や破損の危惧も出てくるため、冷却も必要になってきます。

そうした事情をクリアするため、わずかな時間で焼却施設を冷やすことのできる装置を取りつけたのです。そのために国家が用意したお金（つまり税金）は毎年６００億～１８００億円も計上され、それが10年以上続きました。

危険でないことが証明されたダイオキシンを抑制するために、ここまで巨額の税金を投入する必要はあったのでしょうか。そもそも「ダイオキシンは危険物質ではない」ことが十二分にわかっているはずの役人たちは、どうしてこんなにお金が必要だと考えたのでしょうか。

答えは明快です。

役所で上の立場の人は、「自分の利益のために平気でウソをつくことがある」からです。ダイオキシン騒動が大きくなればなるほど、ダイオキシンの濃度を測定する会社は儲かります。そうした会社の役員の多くは役所から天下ったＯＢたちで構成されています。彼らが「国からのお金（すなわち税金）を得たい」と考えたことが、ダイオキシン騒動を大きくさせてしまった元凶だと考えられるのです。

「ゴミの焼却＝害」と捉える危うさ

「焼却炉でゴミを燃焼させればダイオキシンが出る。だからお金をかけてダイオキシンを出さないようにすればいい」

「ゴミはできる限り焼却しないほうがいい。どんなに環境面での負荷が高くても、別の方法を模索するべきだ」

そんな考え方を役人たちがすることこそ問題です。いくらゴミを焼却してもコントロールさえきちんとなされれば、ダイオキシンは排出されにくいということもわかっています。

それ以前にダイオキシンがどの程度の毒性を持つのか、専門家として的確に判断し、環境によいことと経済的に優れていることは同一であると、冷静に判断することが求められていたはずです。しかしこのときは、「ダイオキシンがどの程度の毒性を持つか」について、的確な判断ができていませんでした。

私たちは科学の恩恵を受けて健康で文化的、そしてなによりも歴史的にも人類始まって以来という、長い人生を楽しむことができるようになりました。科学の原理をよく理解し、本当に私たちの役に立つようなゴミの処理方法を行うべきなのですが、残念ながらそうした思想をメディアはおろそかにして、真実の情報を伝えることをしなかったのです。

「レジ袋の有料化」でほくそ笑んだのは誰か

メディアが伝えようとしない真実は、これだけではありません。

すでに本書で触れた「レジ袋の有料化はエコロジー」というウソを、まったく論じようとしない。私たち消費者の懐からお金が出て行く話ですから、消費者目線に立ってもっと詳しく考察していくべきです。

しかし、そうしたことはすべて無視されて、「レジ袋の有料化は当たり前。エコバッグを持ち歩いて買い物するほうが環境に優しい」ということが常識となってしまいました。それはなぜなのでしょうか。

前章で触れたとおり、小泉進次郎前環境相が旗振り役となり、「レジ袋の有料化」を推し進めたことで、最近では「エコバッグさえ持っていれば、レジ袋が有料化されても別にどうということはない」と考える主婦が多くなりました。

買い物にはエコバッグを持参すれば、1枚2～5円するレジ袋を買わなくて済む。そのうえ環境問題にも貢献できる――そう思い込まされているのです。

たしかにレジ袋を使わなければ、レジ袋の使用量は減ります。しかし、これはあくまでもレジ袋だけに限った話で、逆に代替品のエコバッグの需要が増えて大量に生産されるようになるため、エコバッグの主原料であるポリエチレンの使用量は増加してしまいます。

私が計算したところによると、レジ袋とエコバッグの製造コストを比較した場合、エコバッグのほうが約2倍かかることがわかりました。これでは本当のエコロジー、リサイクルなどとは胸を張って言えません。

さらに、ゴミの廃棄に関してもレジ袋が使えなくなり、各自治体が指定するゴミ袋の使用が義務付けられました。わざわざスーパーやコンビニ、ホームセンターなどで新たに専用のゴミ袋を購入しなければならなくなったのです。

生活をしていれば、何かしらのゴミは必ず出ます。それを捨てるのに新たな出費が必要となってしまうなんて、実に困った世の中になったものですが、ゴミ袋を買うことが当たり前となった今、そもそもの発端であったレジ袋の有料化に疑問を持つ人は少なくなってしまいました。

ここで決して忘れてはならないのは、リサイクルを推進すれば、表では必ず泣く人がいて、その裏ではほくそ笑んでいる人たちがいるということです。この場合の表とは私たち一般消費者ですが、裏はいわゆる「黒幕」となるさまざまな人物が挙げられます。

なぜ過度にリサイクルを進めることが求められるのか——。環境問題における暗部について、次項で明らかにしていくことにします。

レジ袋とエコバッグの原料に違いはあるのか

レジ袋が誕生したきっかけは、店員の少ない大型スーパーが万引き対策に使用したことだと言われています。店内に設置してある専用カゴで買い物をしてもらい、レジで精算した際に専用のポリエチレンの袋を無料で渡す。つまり、レジ袋を持っているお客さんはすでに精算済みであるのがわかるということでした。

素材となったポリエチレンは研究過程で偶然生まれた物質で、製造が非常に難しく、日本の技術者の懸命な努力の結果、実用化にこぎつけたものです。ただ、ポリエチレンは袋以外の用途には使いにくく、活用範囲が狭かったため、レジ袋としての使用がもっぱらとなりました。

ところが２００6年あたりから、「年間で３００億枚のレジ袋が使用されることによって、30万トンものゴミを生み出す原因となっている」と、レジ袋に対してクレームをつける人たちが現れ、その翌年頃からレジ袋を追放する動きが活発化しました。

やがてレジ袋を有料化する流れが生まれ、買い物はエコバッグ持参で行くことが推奨されるようになりました。ゴミ収集時にもレジ袋を使用して捨てることが禁じられ、各自治体が指定したゴミ袋を有料で買い求めることになっていくのです。

そこで改めて考えていただきたいのが、エコバッグや各自治体が指定したゴミ袋は何でできているのかということです。大方が石油を原料とするプラスチック製品です。

「レジ袋は石油からできているが、専用ゴミ袋は石油ではない」

そう思い込んでいる人がいるかもしれませんが、実は原料はまったく同じなのです。

専用ゴミ袋の使用義務化で儲かった連中とは

例えば、レジ袋の原料であるポリエチレンが１キロ１５０円、製造してから運搬するコストが50円、合計２００円かかるとしましょう。レジ袋の年間使用量は全国でおよそ30万トンといわれるので、こうなります。

200円／キロ×30万トン（3億キロ）＝600億円

これまで日本全体でレジ袋を無料提供していたことを考えると、業界全体で年間約600億円の出費となっていたわけです。

しかし、レジ袋が有料化されたことで、この負担は大幅に減少していき、ゴミ袋として使用してもゴミ収集車に収集してもらえないとなると、ますます使用する量は少なくなっていく。

その代わりに専用のゴミ袋が製造されるようになったのですが、ほぼ同じような材質を使いながら、レジ袋と専用ゴミ袋は平均して重量が2倍くらい違います（専用ゴミ袋のほうが重い）。となれば、専用ゴミ袋の全国的なコストは1200億円。レジ袋の提供負担の600億円が消えて、これがまるまる売上となるのです。

消費者は出費増となりますが、製造業者らは儲け増、それを先導した政治家たちも、おそらくご相伴にあずかることができたのではないかと思われます。

さらに、エコバッグにいたっては、レジ袋や専用ゴミ袋に使われるポリエチレンより原価が高いポリエステルを使用しているものが主流です。

日本全体で考えれば、仮に一人が500円のエコバッグを一年に1枚買うとなると、買い物をする人はおよそ5000万人（一世帯1枚購入の想定）なので、

500円×5000万人＝250億円

という巨大市場となるわけです。エコバッグにはボタンやストラップなどを付けたものもありますから、ポリエステルよりコスト高なプラスチックや合成繊維も使用されるため、レジ袋の数倍の資源を消費すると考えてもおかしくはありません。

まとめると、次のようになります。

①レジ袋でゴミを捨てていた頃と比較すると、専用ゴミ袋を使うようになってからは、石油を2倍消費している。

②ポリエチレンのレジ袋の代わりに、ポリエステルのエコバッグを使うことは、より

貴重な石油成分を使うことになる。

レジ袋の有料化を推し進めていたあるテレビ局の番組で、「ゴミ袋を変えて、その後、ゴミは減ったのか」を調べたところ、「リサイクルやレジ袋の使用を控えても、ゴミの量は減るどころか増えている」という結果が得られたといいます。レジ袋を極力使わないことが環境問題の改善につながるなど、何をたわけたことを言っているのかということなのです。

レジ袋の有料化で「万引き」が増えた

レジ袋を有料化にしてエコバッグが普及したことで、逆転現象が起こっているといいます。レジ袋を使うようになったそもそもの目的である万引き防止の効果が一転、エコバッグの普及によって万引きの摘発が増えたというのです。

レジ袋の有料化が義務付けられたのが2020年7月、それからわずか2カ月の時点での全国スーパーマーケット業界の調査結果によると、「万引きが増えた」との回答が約30

%あったといいます。

そもそも小売業界でエコバッグが普及しはじめたのは2000年代で、当時からエコバッグを使った万引きは問題視されていました。全国万引犯罪防止機構の2010年度の調査では、全国のスーパーや書店、薬局など319社のうち4割弱が、「エコバッグの影響で万引きが増えた」と回答していたのです。

エコバッグを使った万引きの手口は、店員の死角に移動し、買い物かごの商品をエコバッグに詰め込むというもの。かごには数点の商品だけを残し、それだけをレジで会計をすることが多いようです。

スーパー側もそれを見逃すはずはなく、万引きGメンらを雇って目を光らせているところも出てきましたが、エコバッグではレジ袋のように精算済みの証拠が見出しにくいので、よほどの確信がなければ客に対して声はかけづらいようです。

精算の前後で買い物かごの色を変える対策などを取っている店舗もありますが、自衛策には限界があります。今後はますますいたちごっこのような状況になっていくでしょうし、そうした状況をつくりだしてしまったこと自体、レジ袋の有料化が実に罪深い措置だったことがわかります。

石油の消費ばかりが加速するリサイクルの実態

レジ袋と同じ石油原料の製品をめぐっても、呆れた認識が跋扈(ばっこ)しています。ペットボトルのリサイクルです。

ご存じの通り、ペットボトルは軽くて割れにくく、飲みかけであってもキャップをしておけばいつでも飲めるなどの利点があり、一気に普及しました。石油製品であることから分別回収してリサイクルが可能であることも広まり、資源の有効活用、環境問題へのリスク解消の代表のように扱われているのが現状です。

私はこの説得力のない、あいまいな理由に失笑するしかありませんでした。安易にリサイクルと言っても、その実は、資源として再利用されているものは極めて少ないからです。リサイクルの旗のもとにペットボトルの消費量はいたずらに増してしまい、ゴミも減っていない。「わが社はペットボトルのリサイクルに一生懸命取り組んでいます」という空気感だけ伝わるような、意味のないリサイクルはやめたほうがいいのです。

10本のペットボトルがあったとして、実際に再利用に回されているのは、だいたい3本が目安で、残り7本は普通に焼却施設で処理されているといいます。

そもそもペットボトルをつくるには、つくる量の約2倍の石油を必要とします。つまり、1万トン分のペットボトルの製造には、2万トンの石油を使うことになるのです。そして、このペットボトルを全部処分するとなれば、運搬や焼却施設の稼働のためにさらに2万トンの石油を使うので、計4万トンの石油を用意しなければなりません。

ペットボトルはリサイクルするより新たにつくったほうがいい

さらに、ペットボトルをリサイクルするには、もともとの原料の状態に戻してから再びペットボトルとしてつくり直す必要がありますから、普通につくるよりもコストはかさみますし、リサイクルする量の約3・5倍の石油が必要です。1万トンのペットボトルを製造し、それをリサイクルするとなれば、全体で必要となる石油の量は次のような計算になります。

2万トンの石油（1万トンのペットボトル製造のために必要）＋3・5万トンの石油（1万トンのペットボトルをリサイクルするのに必要）＝5・5万トン

単に捨てるよりもリサイクルするほうが1・5万トンも余分に石油が必要となる。これで本当に「リサイクルはエコロジーである」といえるでしょうか。

また、焼却した際には、ペットボトルはさらなる問題を発生させます。

プラスチックはガラスに比べて材質が軽くて柔らかく、持ち運びにも便利である一方、傷がつくとそこに汚れが付着して衛生的にも問題ですし、糖分の入った飲料を焼却すると、ペットボトルの材質と糖分が化学反応を起こして新たな化合物ができてしまいます。熱に弱く油の中に入れると溶けだす特性も出てくるので、取り扱いは危険になります。

リサイクルには時間もコストもかかるし、安全性にも危うさがある。ですから、リサイクル業者の実入りもよくないのです。

その証拠に、三重県の「よのペットボトルリサイクル」が2006年3月に倒産した際、同社の社長はこう語っていました。

「リサイクルには手間がかかります。リサイクル品はあくまでリサイクル品であり、資源ゴミのペットボトルから元の透明のペットボトルがつくれるわけではありません」(『日経ビジネス』2006年9月25日号)

まさにペットボトルのリサイクルの真理を突いた発言です。材料工学や分離工学を学んでいればすぐにわかることなのですが、「ペットボトルをリサイクルしよう」と言い始めた時点から、このような結末を迎えてしまうことは私にも容易に想像できました。

ペットボトルをリサイクルしても、ペットボトルにはならないのです。ペットボトルは人間が開発したものであり、原料は石油です。一度使ったペットボトルを、さらに石油を使って溶かしてつくり直すと考えた時点で、余計な石油を使うことになることは自明の理であり、再利用するよりも新しいペットボトルを製造するほうが、まだ使用する石油の無駄にはなりません。

その事実を知らずに、ただ「環境のためにペットボトルをリサイクルしよう」と主張することに、私はまったく賛同できないのです。

ＮＨＫはなぜ環境問題に力を入れるのか

これまでお話ししてきたことからも、私の考えるレジ袋の使用やペットボトルのリサイクルと、国家が考える施策は、まったく真逆の方向であることがおわかりいただけたかと思います。

結局、損をするのはいつも国民で、得をするのは役人やこうした事柄に関わっている一部の既得権益者という構図が成り立っているのです。この国はいつまで経っても環境後進国のままのような気がしています。

さらに、こうした構図を補完してきたのが、テレビを中心とした大手メディアによる報道です。とくにＮＨＫによる先導を見逃してはなりません。

国民から受信料を取って運営しているＮＨＫは、国民の利益を考えるのが筋です。レジ袋やリサイクルのことなどで少しでも疑問があれば、「本当に正しいのか？」と侃々諤々の議論を放送して当然でしょう。しかし、すべては国家の方針通り、お上の言うことに追随しているだけです。

映像技術が進み、実に鮮明な画質で見ることができるようになりましたが、政治権力に鋭く切り込んで真相をクリアにしていく姿勢を見せる番組はほとんどありません。かつてＮＨＫで放送されていた『クローズアップ現代』などは独自のカラーがもありましたし、政治権力にメスを入れる報道に挑んだこともありましたが、それが原因で番組そのものがなくなってしまいました。テレビがこれまでつくり出してきた独自の文化やメッセージ性は、もはや風前の灯火となっています。

よく言われることですが、悪人は必ずしも悪相をしているとは限りません。本当の悪人とは、笑顔できれいごとの言える者なのかもしれないのです。とりわけ環境問題を伝える際のメディアは、そういった見え方をしてしまいます。

２０２１年５月、ＮＨＫ放送文化研究所が発表した国民生活時間調査で、「テレビ離れ」の加速が取り上げられていました。とくに10代、20代の若い世代は２０１５年時点と比べて20ポイント前後も減少したといいます。大きな力を持つメディア、とりわけ視聴者からお金を取って運営しているＮＨＫの場合、正しい報道を行う姿勢を見せない限り、この先も一層のテレビ離れが進んでしまうかもしれません。

第5章

世界をミスリードしたこの「名著」たち

DDTを使用できなくさせた『沈黙の春』の罪

ここまでの章で、既得権益者たちがいかに科学のデータを自らに都合のいいように使ってきたのか、その歪な構図について分析してまいりました。

そこでふと思うのは、果たして、科学の側にも何らかの作為、もしくは誤りはなかったのだろうかということです。

一度発表した論文が、のちになって「間違っていた」と判明することはあるものです。科学技術の進歩によって新たな分析ができるようになったのであれば、それは新説として有益な発見でもありますから歓迎すべきことですし、単純に誤りであったなら素直にそれを認めて正せばいい。

人は誰しも間違いをします。故意でなければ、誤り自体をことさら責め立てるべきではありません。無論、作為的に誤った情報を流していたのであれば糾弾されるべきです。

この章で触れる3つの書物は、メディアはおろか世界を巻き込んで浸透していった学説ながら、いずれも科学者の分析によって間違いが露呈しました。しかも、正されることのないまま、環境問題を間違った方向に誘導してしまったのです。

その事例を見ていきましょう。

１９６２年に『沈黙の春』という書籍が出版されました。著者はアメリカ内務省魚類野生生物局の水産生物学者として自然科学を研究していた女性、レイチェル・カーソン。アメリカ国内では半年間で50万部以上を売り上げるベストセラーとなり、当時のＪ・Ｆ・ケネディ大統領の愛読書でもありました。

同書には農薬が農作物や人体に及ぼす危険について書かれており、読者を震撼させるような構成とともに、環境問題のバイブルとして広まりました。

しかし、科学の視座から見れば、この本に書かれていたことには間違いがありました。

『沈黙の春』（新潮文庫版）

例えば、第二次世界大戦直前に発明された有機塩素系殺虫剤（以下、ＤＤＴ）についての記述を読むと、著者自身が大きな誤解をしていることが明白なのです。

ＤＤＴは１９３９年にスイスのパウル・ヘルマン・ミラー博士によって、強力な殺虫作用があることが発見されました。この功績によってミラー博士は48年にノーベル医学・生理学賞を受賞し、「20世紀最大の功績」とまで称賛されています。

DDTの優れたところは、安価で大量生産ができるうえ、人間には毒性が弱いということが挙げられていました。日本では殺虫剤というと、トリカブトや除虫菊を成分としたものが流通していましたが、DDTほどの効果はありませんでした。DDTには節足昆虫の首の後ろにある神経節を壊死させる効果があり、とくに蚊やハエなどには絶大な効力を発揮していたのです。

DDT禁止でマラリア感染が激増した

数ある害虫の中で、もっとも人間の命を奪っているのは、蚊です。蚊は感染症の病原体を媒介します。マラリアやデング熱、チクングニア熱、日本脳炎などの疾患が蚊を媒介にして引き起こされる感染症として確認されています。

マラリアはハマダラ蚊による感染症で、かつては最悪の病とまで言われていました。太平洋戦争末期に日本軍が南方まで戦線を広げた際には、敵国の兵士との戦闘以前にマラリアに感染して亡くなった数がはるかに多かったという記録もあり、それこそ新型コロナウイルスに関連した死者数の比ではなかったのです。

そうした感染症による犠牲者が多発する中で、ミラー博士がＤＤＴの効果を発見したわけですから、その先進性は多くの人々の健康について安全と安心をもたらしました。

ところが、これに異を唱えたのが、カーソンでした。「ＤＤＴは地球の生態系に深刻な悪影響を及ぼす」と指摘するや、彼女に追随してＤＤＴの有害性に対する論文が続々と出てきたのです。ＤＤＴの毒性は摂取した生物の体内に蓄積され、それが食物連鎖によって濃縮され、人間に到達する段階で影響を及ぼすと言われていました。

80年代に入るとＤＤＴは各国で使用禁止となり、２００１年に行われた外交会議で残留性有機汚染物質に関するストックホルム条約が締結されました。ＤＤＴの製造と使用が世界中で禁じられることになったのです。

その半面、禁止から約5年後にはスリランカでマラリア感染者が急増しました。１９６2年の時点で31人まで減少していたにもかかわらず、ＤＤＴの使用を止めた68～69年の前半時点で60万人までぶり返してしまったのです。こうした流れはスリランカだけにとどまらず、中南米やアフリカ大陸の熱帯・亜熱帯の国家でもマラリアが増加し、再び感染爆発の恐怖が拡大しました。

ＤＤＴの発見から間もなく世界は第二次世界大戦に突入したため、兵士や避難民がシラミや蚊に刺されて伝染病に感染することを防ぐためにＤＤＴが使われていたという背景もありました。栄養状態の悪い当時、ＤＤＴによって命を救われた人は数千万人をくだらないといわれています。

ＤＤＴを使えば健康被害が増える一方、使わなければマラリアによる数十万人単位の感染者が出てしまう。悩ましいジレンマがあったことがわかります。

警鐘を鳴らしても死者数は少ない

また、この種の感染症は、先進国ではまず発生しません。被害を直接受けるのは決まって途上国の国民です。物資は不足し、満足に食べ物にもありつけなくなる。社会のインフラや医療体制は脆弱で、些細なことがきっかけで脆くも崩壊してしまう危険性すらある国状です。

私は熱帯・亜熱帯気候の途上国地域におけるＤＤＴの使用はやむを得ないと考えていま

す。使用を控えることになった当時も、「ＤＤＴは危険だ」と頭ごなしに否定するのではなく、「ＤＤＴは正しく使用すれば蚊を有効に駆除できる」化学物質と捉えるべきでした。

それが当時の世界でできなかった理由は、先進国の人々が自分たちのことしか考えられなかったからなのか、あるいは「他国よりも常にリードしていたい」という欲望の表れなのか。こうした議論がいまだに続いています。

そうした時代の空気の中で、カーソンの文章がどう読み解かれていったのか。象徴的なくだりを挙げてみましょう。

「自然は、沈黙した。うす気味悪い。鳥たちは、どこへ行ってしまったのか。みんな不思議に思った。裏庭の餌箱は、からっぽだった。ああ鳥がいた、と思っても、死にかけていた。ぶるぶる体をふるわせ、飛ぶこともできなかった。春がきたが、沈黙の春だった」

（『沈黙の春』より）

カーソンは「鳥が鳴いていない」ことの異様さを同書で指摘しました。鳥は昆虫を捕食しますが、ＤＤＴの影響で昆虫は大幅に少なくなってしまった。餌がなくなった鳥たちは食糧難になって死んでしまい、カーソンが見た湖沼の春は不気味なくらいに沈黙していた。つまり、カーソンの同書での指摘は、ＤＤＴによって人間がバタバタと死に絶えている様子を露わにしたということではなかったのです。

ＤＤＴは節足動物だけを殺し、それを餌にしている鳥は食糧難に陥って死んでしまう。たしかにアメリカの湖沼の春が沈黙しているのは不気味であり、人間の文明に警鐘を鳴らしていますが、だからといってＤＤＴが人間に害になるということではないのです。

筆者が言いたかったことを変質させた存在

ところが、社会は早合点をしました。もともと殺虫剤や農薬を使いすぎていると感じていたのでしょうか。「ＤＤＴによって、やがて人間が死に絶えてしまうのではないのか」という幻想に怯えたのです。

環境問題に対するカーソンの見解は、評価することが極めて難しい。ただ、世界の誰もが環境問題に注目していなかった中で、環境問題と人類の未来に警鐘を鳴らしたことは、カーソンの大きな功績です。

しかし、彼女の指摘を受け止めた側はカーソンほど優秀ではなく、環境問題を金儲けの種として使うことに執心し、やがてはカーソンが言いたかったことを変質させてしまいました。

カーソンはアメリカの生物学者ではありますが、科学者ではありません。彼女が科学者であれば、「熱帯や亜熱帯気候に属した途上国の場合は、蚊が大量発生してマラリアに感染してしまう可能性が高いのでＤＤＴは必要だ」と考えたはずです。そうした点に思い至らなかったことが、ＤＤＴの停止によってマラリアによる大量死を招いてしまったと言っても過言ではないのです。

カーソンは、激しい勢いで進んでいく現代社会は、やがて人類に大きな損害を与えるだろうと警告したのであり、ＤＤＴをやめなさい、リサイクルをしなさいという局地的な指摘をしたわけではなかったのです。

有吉佐和子『複合汚染』はノンフィクションか小説か

日本ではカーソンの『沈黙の春』以上に注目された本がありました。１９７４年10月14

日から75年6月30日まで朝日新聞紙上で連載され、のちに書籍化された有吉佐和子さんの『複合汚染』です。

「農薬と化学肥料を使用することによる、生態系に与える影響について」
「界面活性剤を含んだ洗剤を使用することによる生態系の悪影響について」
「合成着色料や合成保存料など食品添加物使用の危険性について」
「自動車の排気ガスに含まれる窒素化合物の危険性について」

など、当時の日本では誰もが考えつかなかったことを有吉佐和子という才女が書いたことから一般大衆に支持され、ベストセラーとなりました。

『複合汚染』（新潮文庫版）

ただ、有吉さんは作家として文章を紡ぐ才能をお持ちでしたが、科学の世界にとりわけ詳しかったわけではありません。科学は専門的知見がなければ明快な主張を述べることができないので、門外のかたが記したものは一歩間違えば非現実的、誇張するような表現だらけの内容となってしまいがちです。

『複合汚染』を読んで私が率直に感じたのは、残念ながら根拠に乏しいフィクションではないかということでした。作家の仕事としては素晴らしい作品ではありましたが、やはり頭の中の想像で書いている印象が否めなかったのです。

その理由は、「農薬を複合的に使用すると、人体に影響を及ぼす」ことについての専門的に分析されたデータが、文中にまったく出てこないからです。まるで自らの「農薬は恐ろしい、やがて人類を滅ぼす」という結論ありきで、そこへ導くのに都合のいいエビデンスを持っている相手を選んで話を聞き、各章の論をまとめていくというスタイルをとっていた印象でした。

これは科学の世界では、禁じられた手法です。結論というわけでなく、仮説を立てたうえで論考を進めていく方法はありますが、それならば仮説に反する事実も併記するのが筋なのです。

本来、科学的な考察の観点で考えるのであれば、取材した専門家たちの話を複合的に考えながら結論を導き出していくスタイルをとるべきでしたが、どうもそういった過程でつくられた作品とは、私には思えませんでした。

科学の手法を知らない文学者である彼女が間違えても仕方のないことです。しかし、もしも社会に向けて「専門家として警告を発する」という意図のもとに書かれたのであれば、もう少し慎重な内容を書かなくてはならなかったでしょう。

とはいえ、私が言いたいのは有吉さんへの批判や中傷などではありません。彼女の間違いはなぜ社会に容認されたのかということなのです。

朝日新聞による「鉛中毒事件」報道の意図

有吉さんの『複合汚染』を掲載していた朝日新聞は、戦後から高度経済成長期において、「工夫を重ね、挑戦を続ける」というベンチャー精神を礎（いしずえ）に、日本の新聞ジャーナリズムの一翼を担ってきました。その志高い精神がもろくも崩れたのは、1970年5月に東京都新宿区牛込柳町で起きた「鉛中毒事件」の意図的な記事でした。

文京区の医療生活協同組合の医師団が近隣住民の血液検査をしたところ、労働災害の補償基準である鉛の量を超えていたことを、朝日新聞がスクープしたのです。見出しには、「なぜ鉛を軽減できぬ／怒りの住民大会」「返せ空気を／晴らせ苦痛を」という強烈な言葉が並べられました。

ところが、事実は異なっていました。その後の東京都衛生局の検診で、大気中はもとより、住民の血液中も、鉛は通常の量と変わらなかったのです。それに「体がどうもおかしい」と不調や異変を訴えてくる人も誰もいなかったというから驚きです。

記事を書く前に、記者たちは情報源の精度を確かめるのが常識です。自分が取材で得た情報が真実であるかどうか裏を取ったり、科学的なテーマであれば識者による根拠などを併記するのも、記事作成の基本的な作法と言えるでしょう。

けれども朝日新聞は、記事の間違いこそ認めたものの、「鉛の危険性を知ってもらえたことが大きかった」と記事自体の意義を臆面もなく掲載し、反省している様子は微塵(みじん)も感じられませんでした。私からすれば、これは反省などではない、明らかな開き直りです。

当時はインターネットなどの情報ツールはありません。一般庶民が得られる情報で最も頼りにされていたのが、新聞とテレビのニュースやワイドショーでした。そこに掲載される記者の取材記事、出演する有識者のコメントなどの情報を疑うことなく、「真実」と考えていた読者や視聴者は、さぞかし多かったはずです。

そうした読者心理を巧みに利用したのが、当時の朝日新聞でした。創業当時に掲げていた報道機関としての矜持は、このときを境に大きく変質してしまったと私は見ています。

そして、自らの過ちを顧みることなく、「意図的に間違った記事を流すことを是とする」朝日新聞が誕生し、その後の迷走につながっていくわけです。

フェイクニュースは特技となったのか

さらに朝日新聞はその後、従軍慰安婦や南京大虐殺の問題、沖縄県西表島のサンゴを傷つけた虚報事件に代表されるように、フェイクニュースを平気で流すような拡散媒体になってしまいました。真実を報道するのが新聞の最大の役割と考えている私には、到底理解できないことです。

有吉さんの『複合汚染』の連載当時も、決して科学的根拠に乏しい情報を世の中に広めようなどという浅薄な考えはなかったと信じたいですが、同書を読むほどにそうも思えなくなってきます。これは穿った見方ですけれど、よもや「部数さえ伸びればそれでいい」という意図によるものだとは思いたくないのですが、今の朝日新聞を見ると……。

一方で、有吉さんの作品が科学者の視座から容認できるものでないことも事実です。朝日新聞の読者は有吉さんの作品を真実だと思って読んだでしょうし、まさか疑うこともなかったでしょう。情報のミスリードとは、こうして起こってしまうものなのです。

想像の世界でつくられたものと、科学的ファクトに基づくものとでは、明らかに異なります。実際、『複合汚染』に異を唱えた科学者もいて、反論を展開した人もいました。けれども、天下の朝日新聞が掲載した連載であり、当時は国民的作家の一人と言っていい存在だった有吉さんが書いたものということもあって、「真実でないなんてそんなはずがない。あなたの意見こそが捏造だ！」と世間から返り討ちに遭ってしまいました。結局、『複合汚染』に書かれている内容が真実である」という評価につながってしまったのです。『複合汚染』が大反響を呼んだことで、朝日新聞は「目的さえ正しければいいのだ」という誤ったジャーナリズムに走り出してしまい、結果、１９８９年に起きた西表島での「サンゴの落書き事件」へと発展していったのだと私は思います。

作家や新聞の主張していることを信じたい読者を間違った方向に誘導していては、問題の本質は理解されませんし、悪影響しか残さないのです。

『奪われし未来』に書かれた「環境ホルモン」の誤解

１９９７年に発刊されたシーア・コルボーンら複数の著者によって書き上げられた『奪われし未来』は、世界中で大きな反響を呼びました。アメリカの環境活動家だった彼女は、「『環境ホルモン』が人類や生物に及ぼす脅威」と同書で明らかにしています。当時のアメリカ副大統領だったアル・ゴアが序文を寄せたことも大きな話題となりました。ここには膨大な科学データを一つひとつ検証し、「野生動物の減少をもたらしたのは、環境ホルモンが後発的な性機能障害をもたらしたからだ」と書かれています。

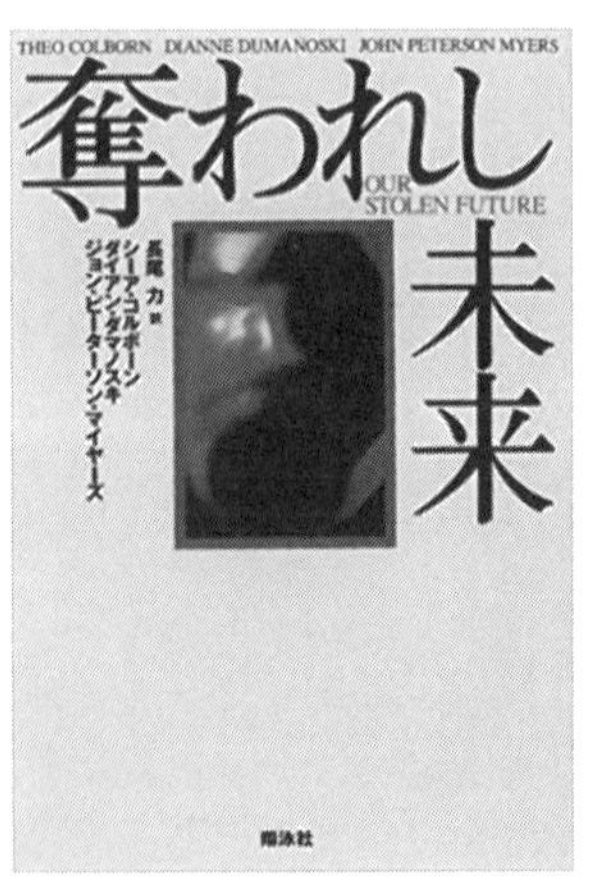

『奪われし未来』（翔泳社）

本書は新しい毒性を提示するという内容が斬新であったことと、根拠となるデータが「測定できないほど微量の物質による長期的影響」だったことから、内容的になかなか反論のしようがありませんでした。

科学は仮説に基づいて研究を行うことが多い学問です。コルボーンが立てた仮説は、「化学物質が野生動物に悪い影響を与えるのではないか」というものでしたが、仮説は必ず事実によって検証されなければなりません。

その際、自分の仮説が間違っているのではないかという批判的な観点で検証を進める必要があります。ただ、コルボーンの検証方法は真逆で、「自分の仮説に適合するものはないか」という姿勢でデータを探していたのです。前項で触れた有吉佐和子さんの『複合汚染』とも近しい視座です。自然界は複雑多岐にわたりますので、そういった検証の仕方でデータを探していけば、さまざまな仮説がそのまま成立してしまいます。

①野生動物の生殖器に影響を与える微量物質の存在→②人工的に合成された化学物質の中にそういったものがある→③海生動物に見つかった→④性器の異常、精子の減少、極端な場合はメスがオスになるなど性別が変わってしまうこともある——。

こういった順番で考えれば、「化学物質は危険だ。何が起こるかわからない」と結論付けることになるのです。

「外国人の言うことは正しい」と考えがちな日本人

突然、大人のオスがメスに変わるなど一般の人々には信じられない現象でしょうし、衝撃的でもあるでしょう。しかし、海生動物、魚などの中にはメスがオスに変わる（もしくはその逆もある）魚はかなり多く存在するのです。

また、「昆虫の寿命が短くなっている」という仮説を立てて検証すると、わずか1分くらいで死んでしまう昆虫が存在することに気がつきます。「植物の寿命が延びているのではないか」という仮説を立てて調べれば、4000年くらい生き続ける植物も、世界のどこかで実際に存在しています。

コルボーンが取った方法は、科学的に正しいとは言えません。そもそも化学物質が原因で、海生動物や魚は性転換するわけではないのです。本来であれば、化学物質と性転換の因果関係は、もっと事実を集め、慎重に考えなければならなかったのです。

『奪われし未来』は日本でも非常に高く評価されていました。しかし、私が見た限りでは、その理由は俗にいう「外国人の言っていることは正しい」という、日本人特有のコンプレックスによるものにすぎなかったのです。

さらに、コルボーンはその学説のあいまいさをめぐって、新聞記者に質(ただ)されました。「微量な環境ホルモンが、人間の生殖機能に障害をもたらした」と主張するコルボーンに対して、「それはどのくらいの量なのか?」と新聞記者が質問すると、コルボーンはなんと「測定できないほど微量だ」と返したというのです。

「測定できないような微量の環境ホルモンを、なぜあなたはわかったのか?」と記者が再び問うと、コルボーンは答えることができず、黙ったままでいたといいます。これによってコルボーンの学説は「信憑性に欠ける」と判断され、『奪われし未来』はまったく話題にものぼらなくなったのでした。

現在では、「環境ホルモン」として当時騒がれたものの多くが、「内分泌を著しく損なうものではない」ということが判明しました。「化学物質を追放せよ。環境ホルモンが人類を滅ぼす」というのはあくまでも幻想であり、科学的ファクトに基づくものではなかったというわけです。

学説の間違いが大々的に報じられることはない

コルボーンは亡くなる1カ月前に、「見逃されている人の健康と化石燃料ガスとの関連性」を執筆し、その中で子どもの発達障害についてこう述べています。

〈子どもの脳神経の発達に悪い影響を与える環境ホルモンが、私たち人間の大切な力である〝人を愛する力〟〝お互いに楽しむ力〟〝問題を解決するために座って話し合う力〟〝社会性〟などをなくさせて、人間を人間たらしめているさまざまな能力を奪い取ってしまいます。本当に健康で知性ある人間が減少してしまったら、人間らしい社会を維持して世界平和を保つことは不可能なのです〉

この一文は環境省のホームページ上の「保健・化学物質対策」に掲載されているのですが、あくまでも「環境ホルモンが疑われている」のであり、環境ホルモンが決定的な元凶と確定していたわけではないにもかかわらず、多くの人々に誤解を与えてしまうような主張をしてきたことはいただけません。

ある人は環境ホルモンが心配で、家庭で使うプラスチックの容器やストローなどをすべて捨ててしまったそうです。他にも家庭で使用するものはすべて「環境に配慮したもの」を選ぶことにしたという人の声も聞きました。

結局、環境ホルモン騒動は根拠のない説であったことが判明したものの、コルボーンの学説が発表されたときのように大々的に「危険視したことは間違っていた」と報じられることはほぼありませんでした。新聞であれば紙面の片隅のお詫び広告のような紙幅で掲載することで終わらせてしまっている。そのため、未だに「環境ホルモンは人体に影響が出る」と信じて疑わない人たちがいるのですから困ったものです。

ある記者が言った「われわれは危険を報じるのが仕事」

あれほど扇動したメディアが一顧（いっこ）だにしない様子は、まるで「ミスをしても謝ったら負け」といった歪な倫理観が根付いているとしか思えません。

以前、私のところに取材に来た雑誌記者に、こんなことを聞いたことがあります。

「『環境ホルモンは人体に影響する』という確証がないのに、なぜ頻繁に報道したのですか?」

記者はこう答えました。

「われわれマスコミは危険を報じるのも仕事の一つなんです」

彼の発言を聞いて、いたずらに人を恐怖心で煽ったことへの無反省・無神経さに呆れました。こういう記者ばかりがメディアを動かしているとは思いたくはないですが、彼らは読者や聴衆を単なる売上部数や視聴率のデータの対象者としてしか見ていないのでしょう。入手した情報が正しいか否かを検証するのではなく、「この物質は危険だ」というその一点のみにフォーカスして、徹底してその危険度を報じる。そういう人に「あなたは事実を伝えようとはしないのか」と聞いたところで、会話がかみ合うはずがありません。

同時に科学の側にしても、メディア対策を考えたうえで学説の検証に臨まなければならない、という教訓を得たとも言えるでしょう。

有識者、研究者への追従をまずは疑うべし

環境問題について語るとき、絶対にしてはならないことがあります。それは、「感情的

になって話さないこと」です。この手の議論は「自分の考えが絶対に正しい」といったん思い込んでしまうと、他者からの意見が耳に入ってこなくなるものです。

否定的な言葉を並べられたら、「そんなことはない！　あなたが勉強不足なだけだ！」と、「自分が絶対に正しい意見であること」を疑おうとしない。これでは建設的な議論などと行えるはずもありません。

民主主義とは本来、「自分の意見と他者の意見はそもそも違うものである」という前提のもとに成り立っています。ですから、自分と相手の意見が対立するからと言って真っ向から否定したり、相手の性格を蔑むかのような言動は、絶対にあってはなりません。「性格のことを言われても、仕方がないことじゃないか」と言う人もいるかもしれませんが、「仕方がない」の一言で終わらせてはならないのです。

この章に挙げた代表的な3作での反省を経てなお、現在のメディアには思わず目を覆ってしまうような環境に関する情報が出てきます。これまでの経緯を踏まえると、「テレビの視聴率を稼ぎたいから、あえてセンセーショナルなことを、衝撃的な映像を使って主張している」と私は考えています。

これまでお話ししてきたように、環境問題を声高らかに叫ぶ「識者」と呼ばれる人たちからは、過去にも間違った主張が堂々とされてきた歴史があります。同時に正しい情報を伝えなければならないメディア側の人たちも、「このくらいの情報なら流しても大丈夫だろう」という、間違った倫理観に侵されているように、私には思えてならないのです。

この際、アメリカの有識者、研究者の唱える学説だから正しい、という短絡的な見方はやめることにしましょう。

「著名な人、話題になっている人が主張していることは本当に正しいのだろうか？」と疑問の眼を持つことは、情報の真偽を確かめるうえでも非常に大切なことであることを、本書を読まれているみなさんにはぜひお伝えしておきたいのです。

第6章

未来の世代に作為を刷り込む教育の現場

日本だけでしか通用しない「間違った教育」

権力者たちがいかに科学のデータを都合よく使ってきたか。その実情の大枠はここまでお読みくださってご理解いただけたことと思います。

作為に基づく情報を流すのは、メディアばかりではありません。昨今、環境問題は教育の場でも積極的に取り上げられるようになってきました。私が最も危惧するのは、そこで行われている教育が、未来ある子どもたちの世代に向けて「間違った情報を教えている」のではないかということなのです。

小さな子どもたちの心は純粋で、「大人から言われたことは正しい」と認識してしまいます。それが実は間違った情報、作為的な情報であったと成長してから気づくことになれば、今まで正しいと思っていたその子にとっての「価値観」は根底から崩れてしまうはずです。

この章では小学校教育の場で行われている「間違った環境問題」について、どう正していけばいいのかを考えたいと思います。

日本の子どもたちを巻き込んだ環境問題といえば、学校ぐるみで行われている「ペット

ペットボトル回収に無駄が生じている

ボトルキャップの回収」があります。ペットボトルキャップを集めて回収業者に買い取ってもらうと、そのお金の一部が寄付され、貧困にあえぐ途上国の子どもたちに接種するワクチンのための資金などになるというものでした。実施しているのはＮＰＯ法人「世界の子どもにワクチンを日本委員会」です。

ところが、キャップ回収には再考すべき側面がありました。まずはキャップ集めにかかるコストを挙げてみましょう。

集めたペットボトルのキャップを入れた段ボール／１箱６００円
回収業者に売った値段／40円（子ども１人あたりのワクチンの値段）

つまりこれだけで「５６０円のコスト」がかかってきます。さらに、キャップ回収に関

しては、国から1000円の補助金が出ています。すると、

1000円の補助金－560円＝440円の利益

440円の利益は回収関係者に入ることになります。この図式からすると1000円の補助金に対してわずか40円分しかワクチンが買えません。それならば最初から補助金分をワクチンの購入にあてたほうがはるかに効率的です。なぜこのような無駄が生じていたかといいますと、回収関係の企業が環境省からの天下りの受け皿になっていたからです。

『二十四の瞳』の時代に近い文部科学省の感覚

小中学校で行うべき環境問題への学びについて、私ならこんな骨子を考えます。

「廃棄されたプラスチックは本当に環境を汚染するのか」
「プラスチックの利便性と廃棄による汚染をどう捉えるべきなのか」
「石油は枯渇すると言われているが、実際はどうなのか」

いずれも相反する意見が交わされ議論となっているテーマです。こうした問題点から科学技術や自然環境についての理解を深めてもらいたいものですが、現実は異なります。

今の教師たちは文部科学省（以下、文科省）の指示通りに教鞭をとります。文科省は、ただただ「政府が取り組んでいるやり方を、そのまま子どもたちに教える」ことを遵守するよう、現場の教師に伝えます。その体質は戦前の教育と大差がないのです。

戦前の日本は「国が戦争をしているから、子どもたちにも戦争の大切さを教える」という教育を行っており、戦争に誘導する姿勢は戦後になると世界各国から非難されました。壺井栄の『二十四の瞳』という戦時下の学校を舞台にした小説がありますが、主役の女性教師が当時の学校のありかたを憂えたように、戦時下の教師たちは子どもたちに「日本が戦争で勝つためには、若い人の力が必要だ」などと戦争への導線となるような教えを続けていました。そうした教育に感化された子どもたちは、成長後の多くが自ら兵士となって戦地へ赴き、若き命を散らしていったのです。

たとえ今、この国が戦争を始めたとしても、本当に教えるべきは戦争をすることの意味ではありません。国際社会における日本の位置づけであったり、世界にはさまざまな国家があり民族があり多様であるということ、戦後の平和が訪れたときのための知識と判断力を身につけさせることこそ伝えなければならないはずです。

私が見る限り、環境問題に関する教育の現状は、戦前の教育のあり方と根っこの部分は大して変わっていないように感じるのです。

環境問題の副読本に潜む文科省の意図

以前、私は文科省から、小中学生に向けた環境問題の副読本執筆の依頼を受けました。当時の日本は、「リサイクルは必須、ダイオキシンは毒物」という解釈がもっぱらでしたから、そうしたことをさらに積極的に子どもたちに読ませるような内容にしてほしいと依頼されたのです。

しかし、私がそこに書いたのは、「自然と人間」「文明と自然」の本当の関係でした。

例えば紙のリサイクルについては、

「森林の木は太いものを残し、細く弱々しいものは間引き、積極的に紙などに利用することが大切」

「150平方メートルに生えている木のうち、材木として使用できるものは5分の1程度。

残りの木はベニヤ板や紙の生産に使用すべきだ」

など、人間が自然のものを利用するときの知恵について、科学者の視点から率直に書いたのです。すると、文科省の担当者からこんなダメ出しがありました。

「こういうことを書かれては困ります。子どもたちに教えるのは、『リサイクルの大切さ』『ダイオキシンは危険である』ということです。依頼した通りに書いてください」

プラスチックについて触れた個所も同じ扱いで、「プラスチックが環境を汚染する」と決めつけて、「レジ袋は極力使わないように」という結論に持っていく。年間1500万トン生産されているプラスチックの中で、レジ袋が占める量はどれほどわずかであるかということは一切教えないのです。

これでは、環境問題について正しく考える機会を子どもたちから奪うことになり、「言われたことや記されたことだけが正解だ」という刷り込みを教育現場で行うことになります。

担当者と大揉めに揉めた結果、私はその依頼を断りました。

環境の「なぜ、どうして」を考えさせない動き

国家が決めた枠組み以外の知識は入れる必要がない。それはつまり「子どもたちは環境問題に対する原理原則について、『なぜ、どうして』と考えてはいけない」ということになります。日本は民主主義国家ですが、これではその根幹である「国民が自ら考えて行動する」ということができなくなってしまいます。

日本という国家は、幸福、生活、人生、宗教、思想、信条を自ら決めることを基本としています。しかし、第二次世界大戦の直前になると、自由意思による決定がことごとく阻まれました。結果、軍部の独走を許し、戦争に突入していきました。

現代の環境問題の教育についてはいまだにその傾向が残っていて、「自らが考え、行動を起こす」ための知識が身につかないのです。

例えば「地球の温暖化」に関する授業があったとしましょう。本来であれば、恐竜が活動していた時代の気温はどうだったのか、地球上における気温の歴史はどう変化して今に至っているのかなどを、まずは基礎知識として子どもたちに学ばせるべきなのです。どういった過程を経て、現在の温暖化の問題が起こっているのかを教えていけば、子どもたち

は基礎的なことから正しく理解することができます。

しかし、現在の教育の場では、「温暖化ガスを排出してはいけない」というスローガンの刷り込みばかりが先に立って、そこに至る背景にまで理解が及ばないのです。

その結果、子どもたちに対しての教育は、大事なことを根本から考えさせるのではなく、政府から言われたことを「はい、はい」と無意識的に従わせることが目的のようになっていると私には映ります。

一人ひとりの子どもの力はまだ小さなものですが、未来への大きな可能性を秘めています。彼らに正しい知識を与え、自らの頭で考える習慣をつけさせれば、世界を変える大きな力を生み出すことができます。ただ、それが既得権益者たちにとっては、不都合なことと捉えられてしまうのでしょう。

環境問題を「打ち出の小槌」にしておきたい面々

「地球のために、あなたには何ができますか?」

環境問題を解決するための問いとして、たびたび投げかけられる常套句(じょうとうく)です。本来であれば、こんな抽象的なことを問うのではなく、もっと具体的な問題を提示して、そこに向けて思考を深めるための頭のトレーニングを、教育の場では行うべきなのです。

「地球の温暖化の原因とは何か」

「プラスチックは本当に使用してはいけないものなのか」

「リサイクルについての考え方は今後、どう変わるべきなのか」

「人類の持つ環境に対する技術は、どこまで活用できるのか」

など各論はいくらでも挙げられます。そして、それらの問題がどのように自分たちの暮らしや世界を変えていくのか。われわれが目指すところは何なのかを、教育の場はきちんと子どもたちに対して示していかなければなりません。

しかし、学校にはさまざまな制限が敷かれています。文科省が作成した学習指導要領に沿って教えることを、現場の教師たちは義務付けられている。つまり、いくら教師個人が「この結論はおかしいのではないか」とその内容に異を唱えたとしても、職務規定として文科省の指示に従わなければならないのです。「学習指導要領に載っていないことを教えてはならない」と、極めて官僚的な教育が現場では強いられています。

戦後の日本を占領したアメリカがつくった教育庁、教育委員会、ＰＴＡには、国家の教育方針とは異なる、地域性も加味した独自の教育を授ける仕組みがありました。とくにPTAは、「学校側が独断で決めた教育方針を進めていくのではなく、父兄による議論を交えて方向性やカリキュラムを決めていく」という役割も担っていました。

現在のPTAが父兄同士の単なる社交場のようになってしまい、教育現場に対して物を言う機関でなくなってしまったことは、日本社会にとって大きなマイナスとなっていると言っていいでしょう。

ダイオキシン、環境ホルモン、地球温暖化、リサイクル、石油の枯渇が教育現場でも問題視され始めたのは、約20年ほど前のことです。その当時に小中学校で教育を受けた子どもたちも今や30〜40代と、社会における中心的な世代となっています。

彼らが小中学校の環境教育で何を教わってきたのかといえば、「ゴミはゴミ箱に捨てる」とか「ゴミは分別せよ」くらいのものでしょう。しかも、なぜそうすべきかという根拠についての教育がまったく不足している。

現代の日本や世界が直面している環境問題をどう捉え、どう解決すべきか、その根幹をきちんと学んでいないので致し方ないことかもしれませんが、これではいつまで経っても環境問題の本質に迫れないし、問題の本筋を理解することができない子どもたちを大量に生み出してしまいます。

この繰り返しによって、環境問題は歪みを残したまま、表層的なことだけを学ぶだけに終始してしまい、問題の本質について誰も疑問を持たないまま教育され、大人になっていく。環境問題を打ち出の小槌のようにして利権に群がる既得権益者たちは野放しになり、私腹を肥やし続けるのです。

発展途上国と同じ服従型教育による刷り込み

日本の教育が非常に強い刷り込みのもとに行われていることは、すでに記した通りです。服従型の教えであり、「教師の言うことは絶対だ」という思想によって、教育のシステムは組み立てられてきました。

例えば、A、B、C、Dの選択肢から正解を選ぶ際、教師が「Aが正しい」といえばAを、「Bが正しい」といえばBを選択し、それ以外を選択した者はすべて間違いだということになる。日本ではそれを良しとして、その思想を徹底的に子どもたちに植えつけさせるのです。

この国では当たり前になっている服従型の教育は、実は発展途上国特有のもので、先進国の教育とはまったく異なります。日本の教育環境は欧米の先進国に比べて、かなり低いレベルにあるのです。

歴史の授業で、ある偉人の人物像を教師が一通り話し終えたあとに、

「先生はこう思うが、みんなはどう思う？」

と子どもたちに尋ねる。こうした対話型の授業は、子どもたちに強い先入観を持たせることがありません。そうすることで、大脳が自ずと「先入観の部分」と「自分で考える部分」の二つの空間をつくり出す――。これが先進国の教育というものです。

日本の服従型教育を小中高、さらには大学と12～16年も教育を受け続けていくと、頭の中はすっかり先入観の塊（かたまり）となってしまいます。

そして、これをさらに補完するのがメディアによる情報頒布です。とくにテレビや新聞、インターネットなどは服従型の教育を加速させる装置であり、広く多くの人に先入観を植えつける厄介な存在なのです。

メディアによる作為的な情報、例えば前述したウミガメの鼻に刺さったストローの映像などは、その情報に触れた時点で自ら判断する力を奪ってしまう、「服従させるための情

報」となってしまいます。こうした情報にどっぷりと漬かっていると、先入観の塊となってしまうのは自明の理です。

日本は民主主義国家で、「個人の考え方を尊重している」とは言いますが、実状は、成長過程で触れる教育、メディアからの情報などによって、自分の頭で考える力は早い段階から奪われてしまっているのです。

こと環境問題に関して、私から子どもたちに言いたいのは、学校の先生やテレビ、新聞などが言っていることをそのまま鵜呑みにしてはいけないということです。「これは本当のことなのかな?」と疑問に思う感覚を大事にしてほしいと思います。

声高に主張する人の背景には何があるのか。そこで儲かるのはいったい誰なのか。自分の頭で考えて善悪の区別が理解できる子どもに育てていく必要がある――私はそう考えるのです。

第7章

子どもたちに教えたい環境問題

「森林を増やせば二酸化炭素が減る」のウソ

前章でも書きましたが、私が子どもたちに教えたかった環境問題は、少なくとも文科省から指示されるようなことではありません。もっと現実味のある、直近に迫った課題について、根本的な理解をさせるための内容です。

そして、そこに何らかの作為が働いていないか、ウソはないかを見抜くための知識を身につけてもらいたいと思います。

森林を伐採することが環境破壊につながると言われていることは真実なのか。

石油資源は本当にもうじき枯渇してしまうのか。

地球の温暖化がもたらす本当の影響は何か。

森林が二酸化炭素を吸収する。そう認識しているかたは多いはずです。地球温暖化の防止には、温室効果ガス、中でも影響が最も大きいとされる二酸化炭素を大気中に増加させないことが重要であり、地球上で二酸化炭素を循環させるには、森林がその吸収源として大きな役割を果たしていると言われ続けてきました。

ところが、これが大きな間違いだということに気づいていない人が多いのです。日本人は、誰かが教えてくれたことを、自分の意見にする傾向が強く、自ら調べたりすることがありません。「森林が二酸化炭素を吸収する」と思い込んでしまっているのです。

その結果、「森林を増やせば二酸化炭素が減る」「森林破壊はすなわち、環境を破壊することと直結している」などと、間違った道徳的な思想が巷(ちまた)に溢れていきました。

まずは、森林をつくり出すメカニズムについて、お話ししていきましょう。

1本の木をつくるには、山に種（苗）を植えることから始まります。やがて種から芽が出て少しずつ成長していきます。このとき、空気中から二酸化炭素を吸収して、葉の中で光合成を行います。二酸化炭素は化学記号で「CO_2」と書きますが、C（炭素1原子）とO_2（酸素2原子）に分けた際、木は人間ほど酸素を必要としないので、成長過程において大半以上の酸素（O_2）を空気中に放出して、自ら体内に取り込んだ炭素（C）の力で成長を促進させて、生きていくエネルギーに変えているのです。

時間をかけて少しずつ大きくなり、20〜30年くらい経つと、立派に成長した大人の木となります。

けれども、大人になってからその後も20〜30年生き続けると、枯れて落ちていく枝や木の表面の樹皮を新たに再生させるために一定程度の光合成は行うものの、成長過程と同じくらいの光合成は行いません。これは人の成長過程と一緒と考えてよいでしょう。

子どもたちに正しいことが伝わらない政府の科学会議

人は生まれてから20歳前後までは身体が成長していきますが、それ以降は身体の発育が止まります。つまり、どんなに食べてもそれが筋肉や骨となっていくのは20歳くらいまで、それ以降は歳（とし）を重ねれば重ねるほど、食べたものは筋肉や骨ではなく、脂肪へと変わっていきます。

これと同じことが木にもいえます。木も成長し終われば中年、老年となっていきますから、光合成を行うことは少なくなっていきます。そうなると当然、二酸化炭素を吸収することがなくなってしまいます。

木は樹齢0〜20年までが成長期、20〜60年までを中年期、60年以降は老年期に分けられますが、自然の森林には成長した「青年期の木」「中年期の木」「老年期の木」が、それぞれ同じ量だけあるのです。

このような森林の構成を「定常状態」というのですが、これらすべてが入り混じって森林を構成しています。「森林が二酸化炭素を吸収しない」という言葉は、「成長期の木は二酸化炭素を吸収するが、中年期、老年期の木は二酸化炭素を吸収しない」とも言い換えられます。

ところが日本では、「二酸化炭素を減らせば地球温暖化を食い止められる」と言って国民を信じさせようとしています。これによって、「森林を伐採することは悪。割箸を使わずに『マイ箸』を使うことは善だ」と公言する人たちが現れました。政府が主宰する科学会議では、「森林が二酸化炭素を吸収する」と平然と言ったかと思えば、子どもたちに正確なことを教えなければならない小学校や市役所といった公の機関ですら、「樹木が二酸化炭素を吸収して、二酸化炭素の排出を減らしているんだよ」と、誤った情報を教え続けたのです。

科学技術立国は平然とウソをつく

私が現在住んでいる名古屋市では、中心街にある百貨店・三越に二酸化炭素計を設置し、「昼間は二酸化炭素を吸収するから二酸化炭素計が表示する数値は減っていく。夜は吸収しないから少しずつ増えていく」

ということを子どもたちに教えています。しかし、木に限らずあらゆる植物は、太陽の出ていない夜は光合成を行えません。つまり、二酸化炭素は夜になって増えたのではなく、「二酸化炭素の量が元に戻った」と考えるべきなのです。

それにもかかわらず、「植物が二酸化炭素の排出を減らしている」と言い続けるのは、実に狭量な考えです。こうした指導に対して、「何かおかしい」と感じた私は、名古屋大学の教授時代に、子どもたちの指導にあたっている茨城県つくば市にある森林総合研究所に問い合わせました。

「私が学生たちに『森林が二酸化炭素を吸収するというのはおかしい』と指導しているのですが、これは間違っていますか？　木の成長のメカニズムを知っていれば、何が正しくて、何がおかしいかはすぐにご理解いただけるはずなのですが、どうでしょうか？」

そう聞くと、森林総合研究所側は、

「武田先生のおっしゃる通りです。でも、私たちも国から補助金をもらうためには、こういうことを教えていかなければならないのです」

とまるで当然であるかのように答えました。また、岐阜のある大学教授も、この研究所

と同様のことを言われていたので、私が同じような質問をしたところ、

「武田さんの言う通りなのですが、湖の周辺に生えている樹木は、万が一、倒れて湖の中に入ってしまったら酸素に触れられません。ですからその場合だと、二酸化炭素を吸収します」

と返されたので、「それはその通りですね」と答えるしかありませんでした。

日本は科学技術立国といいながら、「森林が二酸化炭素を吸収する」というウソをついています。このことは一時期、国際会議でも問題になったものの、

「日本が一所懸命、二酸化炭素の削減に動いているのだから、このくらいの過ち(あやま)ならいいじゃないか」

といったかたちで世界中から認められてしまいました。驚いたことに、こうした事実はすべてのメディアで一切報道されていません。まさに日本人の間違った知識を植えつけてしまった最たる例といえます。

森林を保護したことで「増加した病気」があった

さらにもう一つ、森林を過剰なまでに保護したことによって生じたのが、花粉症患者の増加でした。

「割り箸は材料確保のために森林を伐採することになる。森林が減少して、二酸化炭素の削減に影響を及ぼしてしまう」

と一時期、マスコミが繰り返し報道していましたが、これが本当に森林伐採の歯止めになっているのかと聞かれれば違います。

日本は先進国の中ではスウェーデンとフィンランドと並んで、国土面積における森林の占有率が高い国で、実に68％を占めていますが、この3カ国の中で最も森林使用率が低いのが、実は日本なのです。

かつて1960年代は森林を伐採して紙をつくっていたので、森林の使用率は88％もありました。ところが、現在はその4分の1以下までに減っているのです。そうした影響から、まったく成長せずに二酸化炭素を吸収しない老木が膨大に残ってしまいました。その結果が、花粉症患者の増加につながったというわけです。

戦後になってスギやヒノキを必死に植林したものの、全国の森林に行くと、現在では材木にならない荒れた木々ばかりが残っています。樹木は本来、双葉から成長して青年期を迎え、成長が終わった中年期になると、次世代に子孫を残すために花粉をまき散らします。これがかつてのように森林を頻繁に伐採していた頃であれば、木々が「今以上に成長しない」と判断した時点で切り倒して、木材として利用していました。

しかし、今は違います。成長が止まっても木材として利用することが少なくなったために、スギやヒノキの木々はほったらかしにされ、使用の用途が少ない老木になって、花粉をまき散らす構図ができあがってしまったのです。

こうなったのも、「割り箸は森林を破壊するからよくない」と自然保護運動でしきりに訴えていた運動家たちが原因です。森林の樹木は年老いて老年期になると新陳代謝が遅くなって大気が汚れてしまいます。そのメカニズムをすべて無視して、ひたすら「割り箸反対」と声高らかに叫んでいた結果、今の状況が出来上がってしまったのです。

そして花粉アレルギーの子どもたちを増加させました。春や秋の花粉が飛散する時期になると、毎年のようにくしゃみや鼻づまり、目のかゆみなどに悩まされてしまうのです。環境省の「花粉症環境保健マニュアル２０１９」には、１９９８年に花粉症全体の有病率

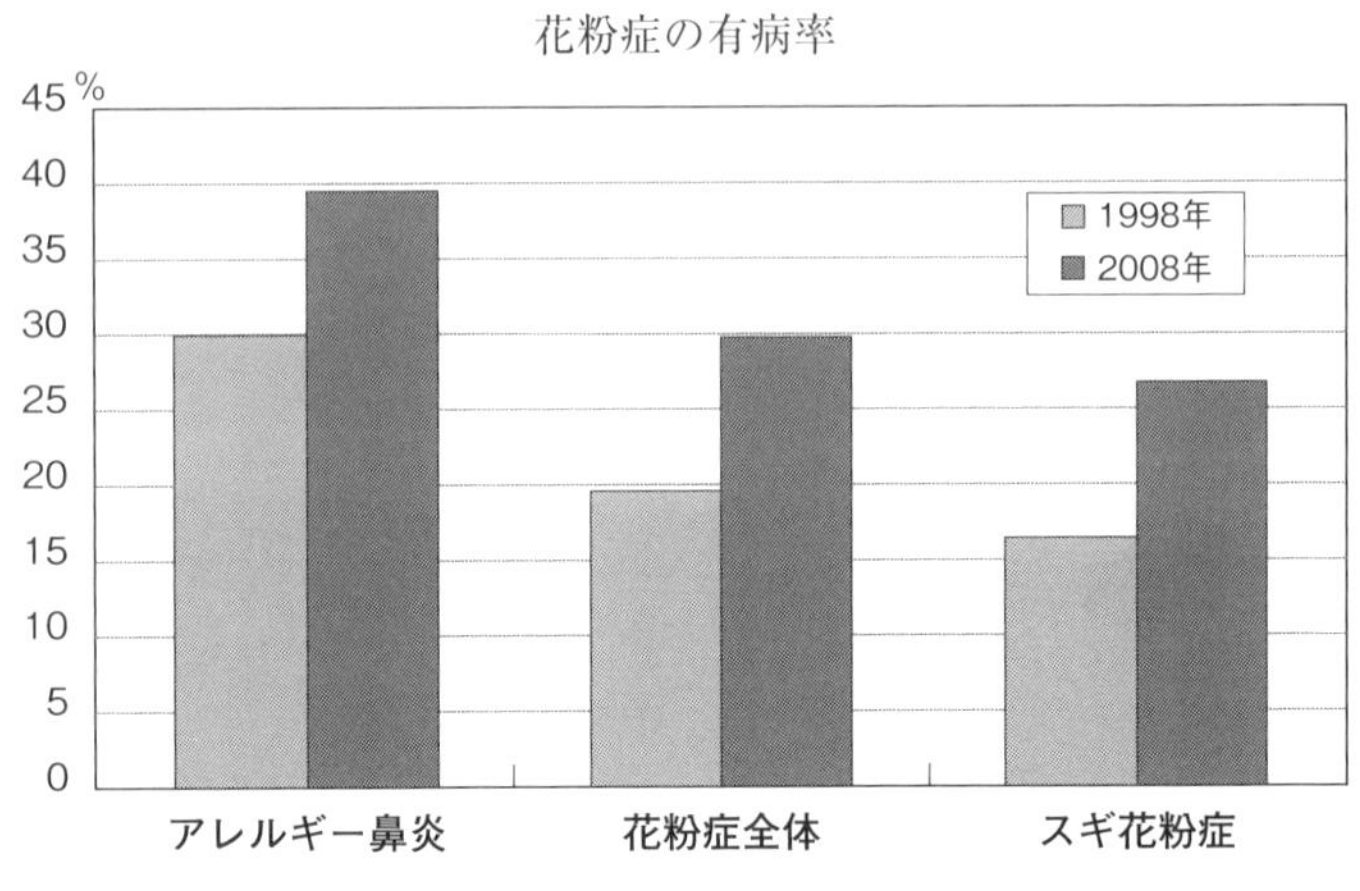

出典：花粉症環境保健マニュアル2019

は20％だったのが、2008年にはおよそ30％と、10年間で10％増加したことが記録されています。

この国は森林をどうして有効活用しなかったのでしょうか。二酸化炭素削減を必死に叫んでいた人たちには、「自分たちが罪づくりなことをしてきたという認識があるのか」ということを問い質したいものです。

石油は枯渇するというウソをいつまでつき通すのか

日本では「やがて地球上の資源が枯渇する」、石油や石炭、鉄鉱石などのエネルギーとして活用できる材料がそれにあたりますが、世界中で「地球上の資源が枯渇する」と言っている国は日本を除いてありません。

ただし、石油を取り扱っている会社は、石油価格を高い水準で保つために、いかなる場合においても、「あと40年しかもたない」と言い張っていますが、あくまでもこれは例外です。

例えば、1970年代前半に起きた石油ショックの際には、マスコミや環境や科学の専門家、とりわけ石油会社の関係者の口から、

「石油はあと40年でその寿命が尽きる」

と盛んに言われ、それからおよそ40年後の2010年にもやはり「あと40年で石油は尽きる」と叫ばれました。こうした事態を招いたのも、科学的に正しいことを正直に言わなかった、私を含む科学者全員の責任でもあります。

一方で、石油会社は商売を目的としているので、石油の価格をある一定の水準に保つことは重要であり、間違っても「石油は無限にある」とは言いません。

原油の価格は1960年代は1バレルわずか2ドルだったものの、70年以降は24ドルに上昇し、80年代前半には30ドルを超えました。その後は15〜30ドルで推移した時代が続き、2008年には100ドル近くまで跳ね上がり、現在は40ドル超のあたりで落ち着いてい

ます。

なぜ石油はこれほどまで価格の変動が激しいのでしょうか。それは、オイルマネーに群がる人たちが世論を操作して値段を上下させ、利益を得ているからに他なりません。これはお金儲けの基本からすれば当たり前のことです。

ところが、日本のように「服従の論理」が支配している国では、マスコミが「石油がやがて枯渇する」などと広くアナウンスしてしまうと、「近い将来、石油がなくなってしまったら大変だ」と国民が扇動されて、それが間違った行動を引き起こしてしまうことにつながっていくのです。第一次石油ショックのときのティッシュペーパーやトイレットペーパーなど、石油製品の買い占めがスーパーマーケットなどで起きたのは、まさにこの典型例といえるでしょう。

ただし、日本はある程度のレベルの学力が国民一人ひとりに備わっていますから、「何が真実で、何が間違いなのか」は、ちょっと角度を変えて考えれば見抜けるはずです。

そのことを証明するためにも、別の例を挙げてみましょう。

二酸化炭素が減ることで生きにくくなる生物

地球が誕生したとき、大気中の95％は二酸化炭素でした。これは金星と火星とほぼ同じ数字で、いずれの星も二酸化炭素が支配していました。けれどもその後は、なぜか地球だけが二酸化炭素が大きく減って、今では大気中に0・04％しか二酸化炭素がありません。

なぜここまで減ったのか。考えられる最大の理由は、生物が誕生したことによって、二酸化炭素が彼らの食糧となったからです。

草食動物が植物を食べるのは、間接的に二酸化炭素を食べていることになります。例えばイネが二酸化炭素を食べて、炭素を米粒に栄養素として蓄(たくわ)える。そしてこのイネを人間が食べる。

こうしてイネと人間は切り離せない関係となり、イネと人は「一つの生物である」とも言い換えられるのです。つまり、もしも二酸化炭素を減らすとなれば、二酸化炭素をエネルギー源としている生物が地球上からいなくなってしまいます。

今の日本の常識からしたら考えられないことでしょうが、二酸化炭素を空気中に出すのは環境にはとてもいいわけで、さらによくするためには今以上に二酸化炭素を増やさなければなりません。

そして石油が枯渇するかどうかは、この二酸化炭素が今後、どれだけ増えるかにかかっています。石油は「化石燃料」といわれている通り、さまざまな生物の死骸が海の中で堆積してつくられた物質ですから、生物が住みよい環境であればあるほど死骸も増えるため、石油が枯渇することはなくなるのです。

石油系エネルギーはあと1万年分は埋蔵されている

例えば、人間が車や暖房を使用する際に石油を用いれば、それが大気中に放出されます。これによって二酸化炭素が増えるので、若い成長期にある樹木は光合成を行って二酸化炭素を吸収します。こうした循環を繰り返していけば、今は大気中に0・04％しかない地球上の二酸化炭素が、今後増えていく可能性が高くなります。私の試算によれば、100年後にはおよそ0・01％増えると見込まれます。

ただし、石油だけではなく、石炭や天然ガス、オイルサンド、オイルシェール、メタンハイドレートなどの石油系エネルギーと呼ばれる「還元炭素」が活用されるようになってから二酸化炭素は減っていきました。これによって、かつての95％が二酸化炭素だった時代までのように増えることはないのです。

もし1％でも二酸化炭素を増やしたいとすれば、最低でもおよそ1万年はかかります。石油系エネルギーを燃やして生まれるのが二酸化炭素なわけですから、二酸化炭素を1万年かけて1％増やせるということは、裏を返せばそれと同じ時間だけ石油があり続けるということです。つまり、石油系エネルギーはあと1万年分は資源として眠っている計算になるのです（計算の仕方にもよりますが、大方の学者はおおよそ600万年くらいと試算しています）。

それにもかかわらず、多くの人が「やがて石油はなくなる」と言っているのは、オイルマネーで儲かっている人たちの口車に乗せられているだけに過ぎません。「石油に詳しい人たちが力説しているのだから」という、とってつけたような理由が合わさった結果、「事実でないものを事実と思う」風潮が出来上がっていくのです。

強烈な衝撃と悲観論に世界中の人々は煽られてしまう

昔から私は講演会で「石油はなくなりません」と強調していました。こう言うと聴衆の多くは、「えっ、そんな話は信じられない」という表情を浮かべます。「石油はやがてなくなるもの」と考えているのですから、無理もありません。

戦後から高度経済成長期にかけての日本では、誰もが石油はなくなるとは思ってもいませんでした。けれども資源の不安を決定的にさせたのが、1972年にドネラ・メドウズ博士が著した『成長の限界』でした。

ここに書かれている内容は実に衝撃的で、「地下に眠っている資源は有限だから、それを今の消費量で割ると資源はなくなってしまう」とはっきり書かれていたのです。原油に限らず、すべての資源の量を計算すると、「あと40年でなくなる」こともわかったため、世界中の人々が衝撃を受けました。

メドウズ博士の主張を要約すると次の通りです。

「資源は徐々に減り出して21世紀の初めには、かなり低下している。また、一人あたりの食料は少しずつ増加していくものの、2010年あたりになると急激に下がり出し、環境汚染は２０３０年にピークとなる。結果、資源や食料が減ってくるので、人々の社会活動とともに環境汚染も比例して減っていく。21世紀の半ばには世界人口の４割が食料不足から餓死者となり、22世紀に入る頃には世界の人口が70億人まで減ってしまう――」

こちらを読む限り、資源について何一つ明るい材料はありません。なにせ悲観的な内容ばかりなのですから。

21世紀には資源がなくなり、餓死者も世界規模で増えていくと分析されれば、「悲観的になるな」と言うほうが無理な話です。

先入観の呪縛からはなかなか逃れられない

ところが、メドウズ博士の文章には「落とし穴」がありました。それは「未来予測の条件が、１９７０年時点とまったく変わらないこと」と注釈がついているのです。

彼の著書の一文に、

「私の計算結果には前提がある。１９７０年時点の工業的な方法や資源の発見の状態、汚染の進行具合、人口の増加、食糧の生産方法。これらが1970年以降、まったく変わらないことを仮定している」

いくらなんでもこれは無理な話です。新たな研究の成果を生み出すノーベル賞受賞者を毎年のように輩出し、科学技術は日進月歩で発展していますし、それによって人々の暮らしはよりラクになることは十分考えられるからです。

けれども、メドウズ博士が示した仮定の部分、つまり将来の予測をしなかったのは正しい判断でした。

例えば「資源は新たに発見されていない」のにかかわらず、「資源が発見された」とします。すると、「資源はどのくらい発見されるのか」という問いに答えなければなりませんから、この時点で「新たな資源は発見されていない」というのであれば、その答えは「資源は将来的に発見されるかどうかわからない」としておくしかないのです。

これだけ丁寧に説明しても、ほとんどの人が「石油はいずれなくなる」という先入観から逃れられなかったのです。

鳩山元総理が国連で語った「夢物語の友愛」

「地球が温暖化して、北極や南極の氷が溶けて海水面が上がる。やがてシロクマが絶滅の危機に瀕する」

こんなショッキングな話を一度は耳にしたことがある人は多いかもしれません。さらに付け加えれば、その衝撃と共に「そもそも地球温暖化の原因は二酸化炭素（CO^2）である。だから二酸化炭素を減らす試みをしなければならない」ということが、私たち国民に課せられた使命となってしまったとも言えるのです。

今から12年前の２００９年9月22日、ニューヨークの国連本部でおよそ90カ国の首脳が顔を揃えた「気候変動に関する政府間パネル」（以下、ＩＰＣＣ）で就任6日目だった当時の鳩山由紀夫総理は、次のように宣言しました。

「まず、温室効果ガスの削減目標について申し上げます。ＩＰＣＣにおける議論を踏まえ、先進国は率先して排出削減に努める必要があると考えています。わが国も長期の削減目標を定めることに積極的にコミットしていくべきであると考えています。また、中期目標についても、温暖化を止めるために科学が要請する水準に基づくものとして、１９９０年比で言えば2020年までに25％削減を目指します」

唐突とも言える鳩山氏の宣言は、多くの波紋を呼びました。いくら当時の民主党のマニフェストに書かれていたとはいえ、「いきなり国際公約になるようなことは避けるべき」と批判する一方で、メディアからは「各国が賞賛したのだから歓迎すべき」との声も上がりました。

ところが、アメリカの「ニューヨークタイムズ」、イギリスの「ファイナンシャル・タイムズ」「ガーディアン」、中国の「国際先駆導報」（新華社通信傘下）などのメディアは、米中の首脳の演説は紙面にそれぞれ掲載したものの、鳩山氏の演説は一言も報道しませんでした。おそらく「夢物語の友愛」を伝えたところで、何一つ役に立たないからと判断しての措置だったのでしょう。

無理もありません。アメリカもイギリスも中国も、経済発展を遂げるとなると、自ずと二酸化炭素の排出量は増えていくものだとわかっていたからです。

省エネとは「経済と社会の努力を止めること」だ

私が化学工場に勤めるサラリーマンだった頃、高度経済成長期の真っただ中の経済は右肩上がりの状態で、まさにイケイケドンドンの時代でした。その当時の一番の目標は「省エネルギー」、つまりエネルギーを減らさなければ生産量は上がらないので、

① いかにしてエネルギーを少なくすべきか。
② エネルギーを効率的に使うにはどうすればいいのか。

この二つを突き詰めた結果、太平洋戦争で荒れ果てた日本は飛躍的に経済成長を遂げることができたのです。結果、エネルギーを何倍も使い、生産量も比例的に向上し、同時に省エネルギーと効率化を達成することができました。

ところが90年代に入ると、「省エネルギー第一、エネルギー消費をとにかく減らせ」という連中が出てきました。それまでの「省エネルギー、大量生産」とは一変した言い分です。

その理由は「二酸化炭素が減るから環境によいからだ」というのが、彼らの主張するところなのですが、同じ行為で違う結果を得るためには、社会システムを変えなければなりません。

なぜなら同じ社会システムのままでは、どうしても生産量は上がってしまうからです。社会システムを変えずにエネルギー消費を減らすということは、「努力をするのを止めなくてはならない」と言うのと同じ意味合いになります。つまり、二酸化炭素を25％も削減するということは、「努力するな、働くな。それが地球温暖化を防ぐことになるんだよ」ということになるのです。

太平洋戦争が終わり、戦後の混乱期から75年を超える間、実は二酸化炭素の量が変わらなかった時期はありません。毎年毎年、確実に二酸化炭素は増えてきたのです。経済を成長させるには二酸化炭素の放出は必須で、二酸化炭素を削減すれば経済の成長を止めてしまうことになるので、誰一人として幸せにはなれないのです。

南極の氷が溶ければ本当に海水面は上昇するのか

それでは「地球が温暖化すれば、南極の氷が溶けて海水面が上がる」というのは、どういう経緯で言われるようになったのか、順を追って見ていきましょう。

南極の状況については、ＩＰＣＣの報告書に次の内容が記載されています。

「温暖化することで南極のまわりの海水面が上がり、蒸発する海水量が多くなる。しかし水が溶けるほどの温暖化は起きないので、海水の蒸発によってむしろ降雪量が増えることが予想される。それによって南極の氷は増える」

ところが、日本のメディアはこの報告書が発表されたのち、違う捉え方をしていました。何とこぞって「南極の氷が減って、海水面が上がる」と報道しだしたのです。私に言わせれば、「いったい何を勘違いしているんだろう」と訂正を求めたくなりました。

北極の氷は浮いているので、それが溶けても海水面は上がりません。一方で南極の場合は、大陸の上に固体として氷が載っているので、それが水となれば海水が増えて水面が上がると思っている人たちがいるようですが、これは違います。

たしかに、理論的には南極の氷がすべて溶けると、海面は約60メートル上がる計算になるでしょう。ところが実際はまったく違っていて、南極の周辺が暖かくなってくると氷は増えてしまうのです。

「ツバルの浸水」は地球温暖化が原因ではない

こう話すと混乱をきたす人がいるかもしれませんので、まずは冷蔵庫をイメージしてください。冷蔵庫の中に湯気が立つお湯が入った容器を入れると、蒸発した水分が冷蔵庫内で霜となったり、氷となったりして庫内の壁に付着する現象が起きます。これと同じ原理で、周囲に0℃以上のところがあると、水の温度が高いほうが氷は増えるというわけです。

南極の場合はマイナス50℃ですから、大陸周辺の気温が上がり、水温が上昇すれば水蒸気が増えて、冷たい大陸に氷や雪となって張りつくと想像できます。そして空気中の温度が上昇すれば、大陸の土よりも水のほうが膨張率が大きいために、海水面は「少し上がる」と考えられるわけです。

ＩＰＣＣの報告書にはこのように書かれているのですが、なぜか日本の環境白書の中には、

「地球が温暖化すると南極の氷が溶け、海水面が上がる」

とだけ記されています。これはもはや捏造の域に達しています。

さらに突如として、「ツバルが水没する」危険性までもが浮上してきました。ツバルとは太平洋戦争の激戦地だったガダルカナル島の北方に位置する国家ですが、「地球温暖化による海水面の上昇によって沈没しつつある」と2001年頃から日本の数々のメディアで報道されだしたのです。

ところが、ツバルが浸水したのは地盤沈下が原因でしたし、事実、1897年にイギリスがツバルを統治した際に、「満潮時には島が海に沈む」とイギリスの係官が本国に電報を打っていたという記録も残っています。ツバル気象庁も「水位を測定しているが、20年の間に海水面がおよそ10センチは低下している」と発表していました。

どうも日本で報道されていることと、世界の責任ある環境機関から発信されている情報とで大きな乖離（かいり）があるように思えるのは私だけでしょうか。日本のメディアがIPCCのデータを正確に伝えず、都合のいい部分だけを伝えているのはとても許しがたく、見逃すことのできない行為なのです。

シロクマ激減の理由は温暖化ではなく「乱獲」だった

さらに、私にとって見過ごすことができなかったのは、「シロクマは温暖化で絶滅危機にある」という日本発の情報でした。

私自身、テレビに出させていただいている立場なので、大きな声で批判するのは少々気が引けますが、動物をテーマにしたテレビ番組は、偏向報道を通り越して、ウソの情報を流していることに呆れてしまいます。その最たる例が、「シロクマ」についてです。

シロクマはもともとヒグマが少しずつ北に移動してできた亜種の動物ですが、ヒグマとは親戚関係で種としても完全に独立していない動物であることが知られています。そして現在は地球上におよそ2万6000頭いると言われ、繁殖が遅く、また幼少期の死亡率が高いことから、希少な動物であるとされているのです。

そんなシロクマが地球が温暖化したことによって衰弱し、いずれは絶滅してしまう可能性がある――。誰が考えついたのかわかりませんが、その可能性がわずかでもあるのでしたら、放っておくわけにはいきません。私は本当にそのような状況にシロクマが追い詰められているのか、あらゆる角度から調査してみました。

するとシロクマが減ってきたのは、暑さのせいではないことが判明しました。たしかに絶滅危惧種に指定されていますが、それはアメリカのアラスカ州あたりで畑を荒らして捕獲されたからであり、地球の気候の変化が関係しているわけではなかったようです。

また、シロクマの間には、人間と同じように派閥が存在するといわれています。派閥間のいざこざで勢力が拡大したり、あるいは縮小したりを繰り返した結果、シロクマの数が徐々に減り出したという分析もあるのです。

いったい誰が、「シロクマが絶滅するかもしれない」などというウソの情報を広めたのでしょうか。一つ考えられるとしたら、「シロクマを守ろう」という一部の動物保護団体の関係者たちの姿が想像できますが、これに追随するかのようにＮＨＫまでもが「シロクマの絶滅危機」を煽っていました。

ＮＨＫ・Ｅテレで放送されている『みんなのうた』のなかで、『ホッキョクグマ』という歌をつくり、曲が流れているときの背景に氷の少ない北極の写真を使用していました。

そしてホッキョクグマが、

「暑い、暑い、なんとかしてよ。氷の国を返してよ」

というセリフまで入れている有りさまでした。氷の少ない写真は夏の時期でしょうし、あたかも地球が温暖化したからシロクマの住むところがなくなったなどというのは、もはや捏造と言ってもいいかもしれません。

悲劇はこれだけにとどまらず、なんとこの番組を視聴していた3歳の女の子が突然、「シロクマがかわいそうだと泣き出して困った」と、その子のお父さんからクレームもあったというのです。この映像が事実で本当に氷が溶けているのでしたら、この歌は必要でしょうが、明らかなウソを公共の電波に乗せること自体、犯罪的行為であると私は言いたいのです。

東京の猛暑は温暖化ではなくヒートアイランドが原因

ここまでお話ししても、「そうは言っても、東京は年々暑くなっているじゃないか」という反論があるかもしれません。たしかに昔に比べて、東京の夏は真夏日を通り越して気温が35℃以上になる猛暑日になることが多いのは事実です。けれども、これは温暖化ではなく、「エアコンの放熱やアスファルトの増加などが原因の、ヒートアイランド現象によるもの」ですから、混同してはいけません。

東京郊外に住んでいる人が、丸の内や新宿、霞が関などに通勤のために向かうと、「ビル群の間に立つと本当に暑いけど、東京から離れた郊外の自宅は窓さえ開けていれば夏でも涼しい」

と言いますが、これは決して珍しいことではありません。

さらにいえば、夏場によく見られるようになった集中豪雨は、その多くが都市部で起きています。都市部はコンクリートの建造物や道路で溢れ、土中に雨がまったく染み込まない構造のために、地面の暖かい空気が上昇し、上空で気流が起こった結果、積乱雲が発生して短時間で大雨をもたらすことが要因だと考えられています。また局所的に都市部の上空で落雷が起きるのも、ヒートアイランド現象が関係しているのです。

これを都市部に住んでいる人、あるいは通勤している人たちは、「異常気象だ」と騒いでおられるようですが、異常気象でもなければ、地球温暖化ともまったく関係がありません。あくまでも都市部がコンクリートで固められたことが原因で、集中豪雨や落雷が起きたに過ぎないのです。

それでは昔と比べてどれだけ気温が変化してきたのかといえば、気象庁の発表によると「100年間で1℃の気温上昇が見られる」ことがわかっています。細かくチェックすると、1900年から45年までの気温平均差はマイナス0・6℃で一定だったにもかかわらず、終戦直後に突然マイナス0・3℃まで上昇し、45年から90年までが一定ないしやや低下の傾向となり、90年に再び上昇しているのです。

45年は終戦直後、90年はバブルの絶頂期でありますが、この2つと気候にどんな関連性があるのか、気象庁の専門家に直接質問してみたのですが、「わからない」という結論でした。気象庁としては、「理由はわからないが、全体として上昇しているとしか言えない」と推測するしかなかったのです。

地球の温暖化よりも東京の酷暑をどうにかせよ！

このように見ていくと、地球が温暖化しているのかどうかが明らかでなく、また二酸化炭素を減らすにも人間の努力だけでは限界があるということがおわかりいただけたと思います。温暖化によっては、ある種の生物が絶滅ないしは減少したり、熱波などによって死者が増えたり、洪水などで伝染病などが起きやすくなるとも言われていますが、詳細に研究された事例が少ないのが実情なのです。

例えば、寒い地方よりも暖かい地方に住んでいる人のほうが死亡率が低いことはすでに判明しています。沖縄県の人が長寿で死亡率が低いことを考えたときに、1年の温度差が少ないので、脳血管系の病気は確実に減るでしょうし、温度の高いほうが人間の体温も上がって免疫力が強くなるともいわれています。

一部では「気温が上昇するとマラリアに感染しやすくなる」と心配する人もいますが、マラリアという病気は温度よりも衛生面のほうが大切で、下水道が整備されていない場所であればマラリアは増えていくと思われます。ただし、そこがしっかり整備されていれば、決して恐れるような病気ではないということです。

そして、前述したシロクマについても、心配するような状況ではありません。北極や南極の氷が溶けて海水面が上昇するようなことがなければ、暑さが原因で死んでしまうなんてことはあり得ない。恐ろしい未来予測は、私たち人間が悪意をもってつくり出した幻想に過ぎないのです。

それよりも私が大切だと考えているのは、ヒートアイランド現象をいかにして抑えるかということです。東京は都市設計自体に大きな問題があります。先ほどもお話ししたように、コンクリートだらけの街並みは、集中豪雨や落雷が起きる絶好の条件です。現存するコンクリートの建造物をなくすことは不可能でしょうから、まずは地球温暖化の心配よりも東京をどうやったら冷やすことができるのかに重点を置くべきです。

温暖化対策と称して国民から集めた税金をドブに捨てるような政策を掲げるよりも、また「地球のために私ができることを考える」のではなく、「本当にいい環境、いい暮らしとは何か」を国民それぞれが問い直してもらいたいものです。

第8章

大気汚染、公害はこうして利用される

環境問題と「世界三大人口調整者」による犠牲者を比較する

今から10年ほど前、大学で教鞭をとっていた頃、学生からこんな質問を受けました。

「今、世界中の環境が破壊されているということをよく耳にします。これから先の日本の環境は大丈夫なのでしょうか？」

私はこう返しました。

「私は普段の生活レベルで、環境が大変なことになっているという実感はないんだけれども、あなたはどこでそれを感じたの？」

するとその学生は、

「テレビのニュースです」

と言うのです。学生のテレビ離れが進んでいる昨今ですが、まだテレビの言うことを鵜呑みにしてしまうのかと、一抹の怖さを感じました。

たしかに、環境破壊に関するニュースはたびたび報じられています。河川の水質汚染や大気汚染、森林伐採に起因する二酸化炭素増と温暖化、果てはエネルギーの枯渇にいたるまで、いくらでも列挙できます。

しかし、ちょっと待ってください。報道されていることは真実なのでしょうか？　本書をここまでお読みいただけたのであれば、報道の中にはいかに作為的なものが紛れているか、誤った情報が流されていることをご理解いただけたと思います。

そもそも環境が危険にさらされている実態を、どれくらいの人が肌感覚として把握しているのでしょうか。環境汚染によってどれだけの人が亡くなっているかと聞かれれば、何万人、何十万人の膨大な犠牲が出ているわけではありません。

いずれも諸説ありますが、戦争の犠牲者数と対比させれば、第2次世界大戦では世界中で6000万人、そのうち日本は300万人が亡くなったといわれています。近代の戦争は兵士以外の一般人を巻き込んでしまうので、犠牲者は大きく膨らんでしまうのです。

さらに「世界三大人口調整者」というあしき異名をとったソビエト連邦のヨシフ・スターリンは死者70万人、カンボジアのポル・ポトは死者300万人、文化大革命を成し遂げた中国の毛沢東は死者40万人（被害者総数1億人）という大きな犠牲を出しました。国内の権力闘争の果てに犠牲者になるのは国民です。環境問題よりもはるかに恐ろしい現実によって、多くの尊い命が朽ち果てていったのです。

このほかにも自然災害、地震や大規模な洪水などによって、世界中で10万〜20万人が亡くなっています。日本で言うと１９２３年9月1日に起きた関東大震災は１９０万人が被災し、10万５０００人を超える人が亡くなりました。

疫病となると、さらにケタが違ってきます。とくに14世紀に大流行した「ペスト」ではヨーロッパだけで２５００万人、１９１８年に起こった「スペイン風邪」では世界中で４０００万人、１９５７年のアジア風邪では世界中で２００万人以上が亡くなったといわれています。

自然災害や疫病は人類の歴史上、どこかで起こることではありますが、「10～20年後に必ず起こる」などと予測できるものではなく、不意をついて発生します。これらを阻止するすべは残念ながらありません。

「黄砂」と「PM2・5」はまったくの別物だ

環境問題が原因で亡くなった人は、戦争や疫病と比べれば圧倒的に少数です。ダイオキシンが原因で亡くなった人がいたという話を聞いたことがありません。そもそもダイオキシンの発生による環境被害自体がほとんどない。あったのは、ダイオキシン報道で迷惑を

黄砂とPM2.5を混同する背景に「反中国」の扇動がある（写真：産経ビジュアル）

こうむった、埼玉県所沢市の農家の人たちの収入面での被害です。

世界に目を向けると、光化学スモッグなどの大気汚染による被害がありますが、それにしたって何十万人、何百万人という人が亡くなったというものではありません。

１８００年には世界の人口は約10億人だったのに対し、１９００年は約16億人、２０００年には約60億人と、１００年で4倍のペースで増加しています。本当に環境が悪くなってそれによる被害が見られるというのであれば、人口はもっと減少していなければなりません。しかし、その兆候は一切見当たらない。報道をにぎわせている環境問題とは、いったい何を指しているのか、実に不思議です。

中国から飛来する「黄砂」そして「PM２・５」はどうでしょう。黄砂は数千年前から絶えず大陸から日本に向かって降っていた、自然界に存在する物質です。視界が悪くなることなどはありますが、弱アルカリ性の黄砂は豊かな土壌を育てることにも寄与しており、重大な環境問題として捉えるべきものではありません。

一方、PM２・５は違います。これは火力発電や工場や飛行機、自動車などの燃料の燃焼などによって発生する人工の物質で、人体にも大きな影響を及ぼします。無機質の黄砂と有機質のPM２・５では、成り立ちも影響もまったく違います。

ところが、日本では黄砂とPM２・５のいずれもが「大気汚染物質」とひとくくりにされています。これでは多くの国民が「両方とも人体に悪影響が出る」と考えてしまうのも仕方のないことです。

黄砂との混同で「反中国」をけしかける政府

その昔、アメリカで大気中に浮遊する微小物質をPM２・５という名称で指標を示すことが決まった際には、「砂塵のような天然の物質を除く人工の物質であること」という定義がありました。しかし、日本の大気汚染法令では、天然の物質をそこから除いてはいないのです。

アメリカでは黄砂は人体に影響がないものとみなされていますが、日本では「黄砂もＰＭ２・５と同様に人体に影響を及ぼす物質である」いう見方が定着しています。同時に、日本では「黄砂の影響がどれだけの人に出ているのか」というデータが出回らなくなりました。

黄砂は本来、環境生物学で研究されるべき物質であり、大気汚染の元凶の一つとして挙げられるのは少々筋が違う話なのですが、政府の意向を忖度して補完する御用学者たちによって、「黄砂は危険だ」というプロパガンダに使われてしまっています。

現在の日本の大気汚染法令は、いいかげんな定義に基づいていることが明白です。しかし、黄砂が危険であることを喧伝することによって、「大気に悪影響を及ぼす黄砂を飛ばしてくる中国はけしからん」という空気づくりに使いたいのでしょう。政府のこうした作為に、われわれはいいかげん気がつかなくてはいけないのです。

世界の大気汚染の歴史を知る

世界で起きた大気汚染の歴史を見てみましょう。14世紀のイギリスでは、工業の発展にともなう石炭使用量の増加と、家庭用の暖房の燃料使用量の増加によって大気が汚れ、人々の生活環境は非常に不快なものになっていきました。

その結果、イギリス史上最悪の大気汚染、１９５２年の「ロンドンスモッグ事件」が発生しました。スモッグの原因は、工場や発電所などで使用される石炭から排出された二酸化硫黄や煤塵(ばいじん)、エアロゾルなどとされ、当時の記録によると、スモッグの発生は12月5日から5日間続いたといいます。ロンドンでは1日平均３００人の死者が出ていたのですが、このときはなんと４０００人もの死者を数えました。この事件を機に、イギリスでは家庭の暖房まで規制する「大気清浄法」が制定されることになりました。

同じく欧州では１９３０年12月、ベルギーのミューズ川沿岸で工場から排出された亜硫酸ガス、硫酸、フッ素化合物、一酸化炭素などを原因とする大気汚染が問題視されていました。これが原因となった結果、60名の死者が出て、呼吸器系に異常をきたした人も続出したと言われています。

アメリカでは2つの大気汚染が問題となっていました。一つはペンシルベニア州の工業都市のドノラで発生しました。この街には鉄鋼をつくる工場や亜鉛や硫酸工場などがありました。ここで1948年10月27日から5日間、硫黄の化合物などによって大気が汚染され、20人が亡くなったのです。

もう一つは西海岸のロサンゼルスで1944年に起こった、アメリカでもっとも有名な大気汚染です。もともとロサンゼルスは1920年時点では人口100万人の都市でしたが、1940年には286万人、1950年代後半には600万人以上に急増しました。急激な人口増加と並行して産業も発展、さらには住民たちによる自動車の普及も進んだことから、大気汚染はますます増大していくのです。

大気汚染による死者数で考えなければならないこと

結果、ロサンゼルスの大気汚染の原因は光化学スモッグによるものだと判明しました。炭化水素と二酸化炭素が太陽光線によって化学反応を起こしてしまったことが原因でした。そこでアメリカ政府は1955年、「大気汚染防止法」を制定し、大気汚染防止のための研究を支援することを決め、その後の67年には大気汚染防止計画の環境基準を、ロサンゼルスを含めたアメリカの12の都市に対して設けたのです。

さらにその後、イタリアのミラノの北25キロに位置するロンバルディア州のセベソという都市で、76年7月10日に農薬工場の爆発事故が起こりました。人為的なミスが原因だったことがのちの調査で判明しますが、これによって新宿区全体を覆うくらいの範囲にダイオキシンが拡散されたのです。

周辺住民には居住禁止命令や強制疎開などの措置がとられ、ニワトリやうさぎ、ネコなどの小動物が大量死するという事態にまで発展しました。このときの様子は、２００１年公開のアニメ映画『いのちの地球　ダイオキシンの夏』となり、文部科学省が選定し、当時の石原慎太郎東京都知事も推奨する作品となりました。

ここまで環境汚染に関する海外の事例をざっと挙げてみましたが、私はどうにも腑に落ちません。たしかに被害者や犠牲者は出ましたが、先に挙げた国家指導者による殺戮、もしくは感染病、大地震や熱波などに比べれば死者は少なく、問題が起きたとされる範囲も限定的なのです。

もっと言えば、汚染されたと言われる地域は、世界の陸地全体における都市面積で考えれば、およそ0・43％です。それだけに「人類の脅威となる」と過剰な言葉をもって報じることには無理があるのではないかと考えます。

とくにダイオキシンは、前記の通り人体に影響のない物質であることがわかっています。それにもかかわらず当時はダイオキシンの危険を煽ることばかりが行われ、大手メディアは誤報を流し続け、やがてはアニメ映画まで制作されました。

大気汚染が「悪」だという見方をしている人がほとんどだと思います。もちろん、問題視すべき点もあり、解決の必要のある部分もありますが、事実と異なっていたということ、死者は決して多くはなかったという現実に目を向けて、物事の本質を理解してほしいと私は思います。

大気汚染・四日市ぜんそくの原因とは

日本でこれまでに報道された大きな環境被害といえば、「四日市ぜんそく」と「水俣病」が挙げられます。この2つは小中学校の社会科の授業で必ずと言っていいほど出てきた名称ですから、ご記憶のかたも多いでしょう。

四日市ぜんそくは比較的早期に問題が解決したのに比べ、水俣病は21世紀を迎えてもなお解決の見通しが立ちませんでした。２つの違いはなぜ起きてしまったのでしょうか。

四日市ぜんそくは、１９５９年に三重県四日市市で操業した石油コンビナートから排出される化学物質の影響で、操業翌年あたりから周辺に住む人や伊勢湾で魚を獲る漁師たちから咽頭炎や気管支ぜんそく、感冒症などをともなった患者が増加したことに端を発しています。


被害が発生した四日市市周辺では、亜硫酸ガス、硫化水素、炭化水素、窒素化合物などの濃度が高く、とりわけ亜硫酸ガスが高濃度の数値を計測したのです。結果、ぜんそくの発症と亜硫酸ガスの濃度の高さの相関関係が認められ、これを改善することになりました。

環境に対する知識が今ほどはない中、この騒動を機に、多くの環境学者が「どうすれば四日市市の大気を改善できるのか」について研究を始めました。

そこで煙突の高さが注目されました。50メートルくらいの高さだった煙突を、１００メートル、１５０メートルと高くして化学物質を高い位置から拡散させようと考えたのです。しかし、これは思うような効果が得られませんでした。

次に取り組んだのが、脱硫装置の開発でした。脱硫とは、石油工場やガス工場において、原料や製品に含まれる有害な作用を持つ硫黄を除去することです。こちらは効果てきめんでした。そこで国と企業側は、脱硫装置の開発を進め、四日市市のほとんどの工場に脱硫装置を取りつけ、問題となった大気汚染は徐々に改善されていったのです。

四日市市周辺住民の健康被害の実態を考える

１９６５年から四日市市では、「公害病認定制度」を発足させ、気管支ぜんそく、ぜんそく性気管支炎、慢性気管支炎、肺気腫の４つの病気にかかった人を公害病患者として認定し、治療でかかった費用はすべて四日市市が負担することになりました。

四日市ぜんそくが原因で亡くなった人はどのくらいいたのでしょうか。のちに公害病として認定された人は６００人ほどいたとされていますが、実際は他の病気が原因で亡くなった人もいたそうです。

また、当時の公害病認定患者の数を調べると、８００人を超えています。しかし、この数字にはカラクリがありました。四日市市の工場で働いている人やその家族は、前記４つのいずれかの病気にかかっても公害病患者とは認められなかったのです。

これは今の新型コロナのワクチン接種後の状況と似ています。ワクチン接種をした後に重病となったり、あるいは命を落としてしまったとしても、「ワクチン接種による影響とは認められない」とされるのと同じです。四日市ぜんそくの問題が発生した当時から55年以上経過した今でも、国家の対応はそう大して変わらなかったのです。

もちろん、四日市ぜんそくを発症させたことに対する責任は、国や四日市市、あるいは四日市市の工場を管理・運営している企業がしかるべき責任をとらなければなりません。一方で、患者と認められない人の立場になれば、どうにもやり切れない思いに苛(さいな)まれます。

ただ、これ以降は四日市ぜんそくの問題は収束の方向に向かい、現在は四日市市の工場も通常通り稼働しています。問題を正面から向き合ってきちんと分析したからこそ解決にいたったことは間違いありませんし、その後、大きな問題が起きていない点については大いに評価できます。

水俣病問題をややこしくさせたメディアと左翼の存在

次に水俣病ですが、こちらは熊本県で活動していた「チッソ株式会社」という企業が、管理・運営していた工場から有機水銀を含む有害物質を不知火海（八代海）に未処理のまま大量に排出してしまったことに端を発します。その結果、海が汚染され、そこで獲れた魚介類を食べた人間への食物連鎖として健康被害は広がっていきました。

「海で原因不明の奇病が発生している」と病院から発表があったのが1956年5月のこと。それ以降、中枢神経を冒された患者があとを絶ちませんでした。

ここで残念だったのは、奇病が発生していたにもかかわらず、当初は「原因不明」という理由から、国や熊本県側から漁獲禁止措置、接触禁止措置、排水禁止措置が一切とられていなかったことです。これが原因となって被害が拡大したという一面もあります。

それ以降、水俣病と名付けられたこの病気は患者数が6万人をゆうに超え（認定2283人、救済対象者6万7545人）、60年代以降は国を相手取っての裁判に突入していきました。ちょうどこの頃からマスコミがこの問題を嗅ぎ付け、テレビや新聞、雑誌などが大きく取り上げるようになりました。すると今度は左翼の人たちが患者側の味方について、「会社（チッソ）は工場の稼働を止めろ！」

という反対運動へと発展していったのです。四日市ぜんそくのように、原因を究明して改善策を図り、事態を収束させればよかったにもかかわらず、メディアや知識人が変な形で介入してきたことで、事態はより複雑な方向へと向かってしまいました。

問題が起きたからといって、工場の稼働を即座に止めれば物事は必ずしも解決するというものでもありません。大切なのは失敗から何を学ぶのかということです。外国の大気汚染もきちんと改善策が施されていましたし、四日市ぜんそくのときも同様でした。

患者を多く出したことはたいへん残念なことですが、「何でもかんでも自粛すればいい」としてしまうのは、科学に基づく考え方ではありません。

当時の状況は今のコロナ禍ともよく似ています。新型コロナに罹るのは飛沫が原因なので、酔えば大声で話すことになりがちであることから、飲食店でアルコールを提供しない。これは理解できます。けれども、「お店ごと休業させて、その分の補償金を国が支払う」という咄嗟の金銭補填だけでは解決策になりません。「自粛をすれば解決する」という思想は昔も今も同じで、日本のあしき変わらなさの象徴と言えるでしょう。

このように見ていくと、大気や環境に端を発した環境問題は、世界ではまず解決の方向に持っていこうとしたにもかかわらず、日本では関係のない第三者が現れて扇動し、ミスリードし、最後は足を引っ張って事態を長引かせるということが平然と行われていたことがおわかりになるかと思います。

これは環境問題だけでなく、すべての事象に言えることですが、国家やメディアが言ったことを鵜呑みにしてはなりません。学校で教わったことにもウソが隠されている危険があります。「何が正しくて何が間違っているのか」を見極めること、正しい知識を身につけることが、情報過多の今、何をおいても大切なのです。

作為的な情報に国民が振り回されることのないよう、科学に携わる者こそが刷り込みのごとき偽善的な情報を否定し、きちんとしたファクトを提示・発信することが、これからの時代に求められるのです。

おわりに

支配者は「幻」をつくって支配をする

科学的なファクトがいかに歪曲(わいきょく)されてわれわれに伝わっているのか。

意図的に歪曲させた者たちがどのようにして既得権益をむさぼってきたのか。

本書を読んで、私たちの身の回りに起きている問題、中でも環境における重大とされている問題が、私たちの頭の中にあるだけで、本当は実在していないのかもしれないということがおわかりになったかと思います。

私たちの脳は、「つくられたものを信じている」。例えば、海水面が上がっているという事象があれば、「環境が悪くなっているからそうなるんだ」と、環境のことについて意識の高い人がまず声を上げげる。その言葉を信用して、「環境問題がますます複雑化していく」と危惧する人が1人、また1人と増えてきて、気がつけば世界規模で「深刻な環境問題が起きている」と考えるようになっていくのです。

このような状況下で、「そんな問題は現実にはあり得ない」と反論しても、世界がそうした危惧に染まってしまうと、なかなか反論など認めてはもらえません。それどころか、「あいつは何を言っているんだ?」と猛烈なバッシングを受け、やがては束になって圧力をかけられてしまう。テレビなどの大手メディアによる洗脳は、そう簡単に解けるものではないのです。

「成長の限界」を語る国家と偽善者

環境問題が声高に叫ばれるようになった背景には、世界を支配する大国の作為があります。思えば世界中でさまざまな民族が国家をつくり、ときには戦争によって領土を拡大し、多くの血を流した時代もありました。

イギリスが海軍力を使って世界をコントロールしたパックスブリタニカの時代、さらには米国のランドパワーによるパックスアメリカーナ。世界のルールはそうした大国によって決められ、その支配下となる各国はそのルールのもとに繁栄があったのです。

盛者必衰のことわりは国際社会にもあることです。やがて大国の支配下で独自の国力をつけてくる国家が現れてきます。そうした国々への搾取で儲けていた大国はそれを脅威に感じるとともに、搾取に溺れ、自国の力だけでは現在の状態を維持し続けることができなくなっていることに気づきます。

大国はさらなる圧政を敷こうと試みるものの、これまでのような支配・被支配の関係は崩れ始めているため、うまくはいきません。そこで大国は識者を結集させて知恵を絞り、1970年くらいにあることを思いつきました。

「人間がものを考えることの特性を利用して、『幻』をつくって支配する」

そこで持ち出したのが、「成長の限界」を利用することでした。つまり、これ以上の成長を望むことが地球の環境を悪化させ、人類にとって大問題を引き起こしてしまう。国家同士の問題をはるかに超越した、壮大な不安を意図的に生み出して広めていったのです。

それに対して各国はどう反応したのでしょうか。日本は「成長の限界」を支持したアメリカの考えにまんまと乗っかり、「環境を保護しなければ、地球規模での大問題に発展してしまう」と、これ以上の成長を遂げることを危険視するようになりました。本来であればこんな口車に乗ってはいけないのですが、日本はおろかにも大国の策略にはまってしまったのです。

自らを支配層と勘違いするメディア

1997年に京都で開催された「第3回国連気候変動枠組条約締約国会議」(COP3)の終了後、世界的なベストセラーとなった著書『不都合な真実』で知られるアメリカの当時のアル・ゴア副大統領は、節電や省エネルギーを世界中の人々に呼びかけました。

しかし、彼は自宅で毎月30万円くらいの光熱費をかけていたと報じられています。地球温暖化の啓蒙活動が認められ、のちにノーベル平和賞を受賞した彼でさえ、この有りさまなのです。まさに偽善というしかない言行不一致には呆れ果てるばかりです。環境問題の真実とは、なんと薄っぺらいものだったのかがよく理解できるかと思います。

不都合な真実
AN INCONVENIENT TRUTH
アル・ゴア
AL GORE

『不都合な真実』
(ランダムハウス講談社)

1990年代にはヨーロッパ各地で「なぜ環境問題に取り組んだのか」をテーマにした書籍が数多く出版されました。ありもしない環境問題をまるでトリックであるかのように見せるのは本当に辟易（へきえき）してしまいますが、これらの作品は日本でも何冊か翻訳されています。

ただし、多くの日本人はこの作為や意図に気づいていません。ヨーロッパやアメリカからすれば、「日本人はナイーブで、何度も騙すことができる」という印象が強いとも考えられるのです。

「地球環境を守ろう」

この美辞麗句を合言葉に、日本の国民は騙され続けてきました。世界で大気が汚れた地域は、私が調べたところによると地球上の陸地面積の０・４３％に過ぎない都市部のうちのさらに１００分の１。それが10年くらいにわたって起きていた事象であるにもかかわらず、そうした数字を国連は一切発表しません。テレビではただひたすら「汚染された土地」あるいは「汚染された海」だけ映せばいいと考えています。

人間とは怖いもので、「真実だけを世の中に問いたい」と誠実に考え、力のある大手メディアに入社した者でも、時を経て、大手企業の高水準の収入と裕福な暮らしが当たり前になってくると、特権階級意識が備わってきて、「自分は支配層の側にいる」と錯覚を起こしてしまうのです。

作為の裏側には「政治などの権力が働いている」ということを知り、仮にその尻尾をつかんだとしても、視聴率や閲覧数などの金儲けになることに目がくらみ、権力者に都合の良いことばかりを報じるようになる。正義を貫こうとして声高に青臭いことを言っているだけでは、自らの利益にならないということがはっきりわかってきます。

さらに、お金と権力は同時に手に入れることができると気づくと、メディアこそが最大の権限を持つ存在だとまで甚(はなは)だしい勘違いをしてしまうのです。

また、どんなに実力のある政治家であろうと、スキャンダルが一発出てメディアスクラムによる猛バッシングを食らえば、政治生命が危ぶまれることがあります。そのスキャンダル情報さえも、意図的に流されたものかもしれない――。そんなふうに疑問視することももはやないのかもしれません。

*

現在の環境問題、そして新型コロナウイルスに関する情報は、そうした作為や偏向報道によってもたらされているものだという意識を、われわれはどこかで持ち続けなければなりません。

既得権益者たちにコントロールされた情報、さらには科学的なファクトを無視した情報は、一度遮断する必要があります。

何が正しいのか、本質とは何なのかを、自分の頭でまずはよく考えてみる。政治家や識者がメディアの前で発する言葉を鵜呑みにしない。そうした思考の観点を読者の皆様が身につけるきっかけを本書がつくることができれば、著者として大きな喜びとなるのです。

武田邦彦

武田邦彦（たけだ・くにひこ）

1943年東京都生まれ。工学博士。東京大学教養学部基礎科学科卒業後、旭化成工業ウラン濃縮研究所所長、芝浦工業大学工学部教授、名古屋大学大学院教授を経て、2007年に中部大学総合工学研究所教授、2015年に同特任教授。世界で初めて化学法によるウラン濃縮に成功し日本原子力学会平和利用特賞を受賞、内閣府原子力委員会および安全委員会専門委員などを歴任。原子力、環境問題をめぐる発言で注目されている。著書に『武器としての理系思考』『50歳から元気になる生き方』『今、心配されている環境問題は、実は心配いらないという本当の話』ほか多数。

◎公式YouTubeチャンネル
『トモダチTV：武田邦彦の「ホントの話。」
https://www.youtube.com/channel/UCBt2v8ieZMflIVYx3pdNccA

『武田邦彦の幸せ砂時計』
https://www.youtube.com/channel/UCKNuSmykxRoUB-4tRwfs6GQ

◎レギュラー出演番組
『虎ノ門ニュース』https://tora8.tv/
『ホンマでっか!? TV』https://www.fujitv.co.jp/honma-dekka/

情報の悪意
科学ファクトを潰す者たち

第1刷　2021年11月30日

著者　武田邦彦
発行者　小宮英行
発行所　株式会社徳間書店
〒141-8202
東京都品川区上大崎3-1-1目黒セントラルスクエア
電話（編集）03-5403-4350／（販売）049-293-5521
振替00140-0-44392

印刷・製本　三晃印刷株式会社

ISBN978-4-19-865349-1